RDE GARDE GARDE GARDE GARDE GARDE GARDE GARDE GARDE GARDE GARDE GARDE
GARDE GARDE GARDE GARDE GARDE GARDE GARDE GARDE GARDE GARDE GARDE GAR
DE GARDE GARDE GARDE GARDE GARDE GARDE GARDE GARDE GARDE GARDE GARDE GARDE
GARDE GARDE GARDE GARDE GARDE GARDE GARDE GARDE GARDE GARDE GARDE GARDE GA
DE GARDE GARDE GARDE GARDE GARDE GARDE GARDE GARDE GARDE GARDE GARDE GARDE
RDE GARDE GARDE GARDE GARDE GARDE GARDE GARDE GARDE GARDE GARDE GARDE GARDE
GARDE GARDE GARDE GARDE GARDE GARDE GARDE GARDE GARDE GARDE GARDE GARDE GAR
DE GARDE GARDE GARDE GARDE GARDE GARDE GARDE GARDE GARDE GARDE GARDE GARDE
ARDE GARDE GARDE GARDE GARDE GARDE GARDE GARDE GARDE GARDE GARDE GARDE GARD
E GARDE GARDE GARDE GARDE GARDE GARDE GARDE GARDE GARDE GARDE GARDE GARDE G
GARDE GARDE GARDE GARDE GARDE GARDE GARDE GARDE GARDE GARDE GARDE GARDE GAR
DE GARDE GARDE GARDE GARDE GARDE GARDE GARDE GARDE GARDE GARDE GARDE GARDE
GARDE GARDE GARDE GRADE GARDE GARDE GARDE GARDE GARDE GARDE GARDE GARDE GAR
E GARDE GARDE GARDE GARDE GARDE GARDE GARDE GARDE GARDE GARDE GARDE GARDE G
RDE GARDE GARDE GARDE GARDE GARDE GARDE GARDE GARDE GARDE GARDE GARDE GARDE
GARDE GARDE GARDE GARDE GARDE GARDE GARDE GARDE GARDE GARDE GARDE GARDE GAR
RDE GARDE GARDE GARDE GARDE GARDE GARDE GARDE GARDE GARDE GARDE GARDE GARDE
ARDE GARDE GARDE GARDE GARDE GARDE GARDE GARDE GARDE GARDE GARDE GARDE GARD
E GARDE GARDE GARDE GARDE GARDE GARDE GARDE GARDE GARDE GARDE GARDE GARDE G
ARDE GARDE GARDE GARDE GARDE GARDE GARDE GARDE GARDE GARDE GARDE GARDE GARD
DE GARDE GARDE GARDE GARDE GARDE GARDE GARDE GARDE GARDE GARDE GARDE GARDE
GARDE GARDE GARDE GARDE GARDE GARDE GARCE GARDE GARDE GARDE GARDE GARDE GAR
GARDE GARDE GARDE GARDE GARDE GARDE GARDE GARDE GARDE GARDE GARDE GARDE GA
DE GARDE GARDE GARDE GARDE GARDE GARDE GARDE GARDE GARDE GARDE GARDE GARDE
RDE GARDE GARDE GARDE GARDE GARDE GARDE GARDE GARDE GARDE GARDE GARDE GARDE
RDE GARDE GARDE GARDA GARDE GARDE GARDE GARDE GARDE GARDE GARDE GARDE GARDE
GARDE GARDE GARDE GARDE GARDE GARDE GARDE GARDE GARDE GARDE GARDE GARDE GA
ARDE GARDE GARDE GARDE GARDE GARDE GARDE GARDE GARDE GARDE GARDE GARDE GARD
E GARDE GARDE GARDE GARDE GARDE GARDE GARDE GARDE GARDE GARDE GARDE GARDE G
GARDE GARDE GARDE GARDE GARDE GARDE GARDE GARDE GARDE GARDE GARDE GARDE GAR
E GARDE GARDE GARDE GARDE GARDE GARDE GARDE GARDE GARDE GARDE GARDE GARDE G
DE GARDE GARDE GARDE GARDE GARDE GARDE GARDE GARDE GARDE GARDE GARDE GARDE
GARDE GARDE GARDE GARDE GARDE GARDE GARDE GARDE GARDE GARDE GARDE GARDE GAR
E GARDE GARDE GARDE GARDE GARDE GARDE GARDE GARDE GARDE GARDE GARDE GARDE G
GARDE GARDE GARDE GARDE GARDE GARDE GARDE GARDE GARDE GARDE GARDE GARDE GAR
RDE GARDE GARDE GARDE GARDE GARDE GARDE GARDE GARDE GARDE GARDE GARDE GARDE
GARDE GARDE GARDE GARDE GARDE GARDE GARDE GARDE GARDE GARDE GARDE GARDE GAR
E GARDE GARDE GARDE GARDE GARDE GARDE GARDE GARDE GARDE GARDE GARDE GARDE G
GARDE GARDE GARDE GARDE GARDE GARDE GARDE GARDE GARDE GARDE GARDE GARDE GAR
RDE GARDE GARDE GARDE GARDE GARDE GARDE GARDE GARDE GARDE GARDE GARDE GARDE

Pierre Fasola
et
Jean-Charles Lyant

Grammaire turbulente du français contemporain

Éditions Ramsay
9, rue du Cherche-Midi
75006 Paris

Collection «Mots»
dirigée par Paul Fournel

© Éditions Ramsay, 1984
ISBN 2-85956-376-8

Préface

Les instructions qui précèdent les futures instructions arrêtant les programmes de septembre 1984 pour l'enseignement primaire et supérieur indiquent fort précisément aux maîtres les limites de l'homme et de la femme. L'enseignement de la Grammaire attire surtout par ses multiples facettes empruntées au grec comme au tübatulabal ; il implique chez l'élève une attention rigoureuse, prête à débusquer la règle comme son exception. Aussi les auteurs se sont-ils efforcés de prévenir les embûches et d'ouvrir aux petites cervelles fraîches le chemin du Savoir.

Mais les instructions?

Nous nous y conformons, et l'élève pourra sans crainte aborder la première année en se limitant à une lecture, première elle aussi, de la Grammaire turbulente du français contemporain. En deuxième année, grâce à son professeur, il atteindra les rives de la Connaissance approfondie.

Le goût de la Grammaire est inné chez l'homme. Conjuguer est son bonheur. Nous avons voulu que ce livre pût plaire. On y parlera de ce que vous aimez : du verbe haut, du petit nom, de nos précieux auxiliaires et superbes articles. Le lecteur perspicace saura y découvrir en outre le pronom triste et le conditionnel passé antérieur parfait décomposé.

Et bientôt, dans sa vie professionnelle, l'ancien enseigné se remémorera les lignes de son livre de classe et, pourquoi pas, les enseignera à son tour.

Puissions-nous par ce modeste ouvrage apporter notre pierrette à ce noble édifice. C'est notre vœu le plus cher.

Les Auteurs.

LA NOUVELLE SYNTAXE

Les papillons-bengaliques-adjectifs
ils tournent sonores autour du substantif la quadrature sublime.
Un participe-pont doit vibrer! vibrer!!
Tandis que l'impavide verbe métalliquement aéroplane
                              vers les hauteurs se vrille.

Danse d'articles agite jolie les jambettes-pendules.
En rythmes pouffés un parquet se balance.
Mais alors saute métalliquement sonore une pure
strophe hors du trapèze. Les chaînes

des courbes réverbères l'une dans l'autre explosent.
Malgré de cette diaprissime dame le sacré vocatif.
Un jeune poète se des sujets colmate.
Perce de l'objet le tunnel... Impératif

surgit rapide et droit. Fantastique paysage de phrases
                              sur sa langue.
Souffle dans sept tubas-hydres. Les nuages chutent.
Et un Bleu coule. Monts harnachés imposent leur présence.
Ainsi fleurissons-nous dans l'éclat d'un mailumineux surmonde.

                              Johannes R. Becher (1)
                              (Trad. inédite.)

---

(1) *Johannes R(obert) BECHER (1891-1958), poète allemand
    d'abord expressionniste* (Verfall und Triumph, *1914 ;*
    Päan gegen die Zeit, *1918).*

Chapitre premier
Le verbe

I) <u>HISTORIQUE DU VERBE</u>

L'origine du verbe se perd dans la nuit des temps. Il en est de ce point comme de la question des ambiguïtés : le nombre des questions que les lecteurs peuvent se poser à propos de l'origine du verbe est considérable, mais toute entreprise de ce genre a nécessairement ses limites. En fait, le verbe a toujours été sujet, et ce à ce qu'on est convenu d'appeler depuis Galbraith (1) le "tiroir verbal à fluctuations temporaires".

Tantôt émergeant, tantôt disparaissant dans le limon des siècles, le verbe est un être, complexe, dont l'étude offre au spécialiste autant de joies (ah!) que de déceptions (oh!). C'est dire assez que le verbe a connu, au cours de son histoire, des hauts et des bas.

Exemples :

. Avoir le verbe haut :

Le monde est pareil à un concombre : aujourd'hui dans la main, demain dans le cul.
(Lawrence Durrell : *Justine*, éd. Buchet-Chastel/Corrêa, Paris 1959, p. 130.)

. Avoir le verbe bas :

Sa voix devenait moite et étouffée et donnait aux mots des contours flous.
(Id., ibid., p. 245.)

Si nous brossons à grands traits, comme nous le permettent le recul du temps et la modification des modes, le tableau prometteur de cet organisme extraordinairement riche, nous sommes en mesure de tracer la ligne généralement verbeuse de son évolution.

---

(1) Tous les noms des personnalités citées dans cet ouvrage font l'objet direct et complémentaire d'une rubrique alphabétique spéciale judicieusement placée en fin de volume.

D'une manière purement conventionnelle, on a admis que l'âge du *faire* marque la première apparition tangible du verbe, l'inscrivant ainsi d'une manière inoxydable dans l'évolution de l'humanité, puisqu'aussi bien il implique, selon l'expression même, la présence du verbe.

Cependant, on sait aujourd'hui, grâce aux travaux remarquablement documentés de Monsieur Jules (1) que, dans certaines civilisations, le langage était averbal.

Ainsi les anciens Egyptiens dont l'appartenance au groupe chamito-sémitique, pour la satisfaction de tout le monde, partisans résolus de l'utilisation d'un langage (pictographique) de dessins, et de dessins seulement (donc sans verbes), comme sur la fameuse palette de Narmer (2).

Le premier verbe chinois date sans équivoque de la dynastie des Hsui, dont le fondateur serait le roi Koyü le Petit. Il s'écrivait alors 𠀆 𠃌 𠀋𠃌 , prononciation *zet'fou*, dont la transcription approchée est *schtroumpfer*. Ce verbe jouissait de multiples emplois : il était à la fois inchoatif, itératif, coercitif, injonctif, perfectif et imperfectif, défectif, substantif, adjectif, diminutif, compétitif, régulier et irrégulier. Il s'organisait en système complexe, dont le présent athématique à redoublement n'est pas le moindre exemple. On l'utilisait également comme siccatif, mais dans ce dernier cas, il pouvait signifier "lyophiliser" et obéissait aux diagrammes suivants :

Diagramme 1

ANTERIORITE —▶ il a lyophilisé ◀—▶ je lyophiliserai ◀— POSTERIORITE
(AVANT)   (APRES)

                 ARTIFICE   DISCOURS

---

(1) Voir note page précédente.

(2) Cf. *Comment déchiffrer les hiéroglyphes*, édition française, chez Lehnert & Landrock, Succ., Edit., Le Caire (Egypte) 1974, p. 3.

Fig. : Hiéroglyphes conservés sur
la fameuse palette de
Narmer.

L'ouvrage fort documenté d'Enrico Romero, *Le signe du Champollion*, nous permet aujourd'hui de décrypter ces merveilleuses sentences proverbiales de la sagesse égyptienne :

1. Pépi à Pépi Ouazet fait son Nil.
2. A bon shah, bon Râ.
3. "C'est l'histoire du badelaire sans manche auquel il manque la lame."
   (G.C. Lichtenberg : *Sudelbücher*, apocryphe.)
4. Plus on Edfou, plus on Râ.

Sur la face cachée de la fameuse palette de Narmer, on peut lire également, dans l'ordre :

1. Ventre affamé n'a pas Assédsoup.
2. Tel Khépri qui croyait prendre.
3. Aut Caesar, aut Nil.
4. Tel qui rit vendredi, dimanche pleure Râ.
5. Nubien mal acquis ne profite jamais. (Un Nubien fait n'est jamais perdu.)
6. Momie soit qui mal y pense.
7. Le Caire a ses raisons (Pascalife de Bagdad).
8. Rien Nasser de courir.

Sentences proverbiales
de la sagesse
égyptienne.

L'ouvrage fort documenté d'Enrico Romero n'est pas le seul
à traiter du déchiffrement des hiéroglyphes égyptiens. Nous nous
permettons de vous soumettre pour examen attentif une liste
complémentaire biblio-filmographique qui pourra vous aider à
résoudre cette passionnante question :

. Le marié était Anouar
. Lesseps mercenaire
. Cléopatre de sphinx à Seth
. Poil de Cairote
. Ascenseur pour les chameaux
. Le parfum de Madame Anouar
. La blonde et le sharif
. Cartouche (avec Abdel Mondo)
. Jules et Gypte
. Les trois mousses du Caire
. Les visiteurs du Douar
. Le Râ passe
. La momie et la putain
. L'opérâ de quat'souks
. Le rempart des Bédouines
. Maure à Venise
. L'année dernière à Islamabad
. Les sorcières de Selim
. Au bazar d'El-Hazar
. L'honneur perdu de fatma Oum Kalsoum
. Tous les autres s'appellent Allah

. Sidi Marleen
. Abydossouffle
. Le Rouge et l'Anouar
. Nil nu
. Kanal
. Rosette et la grande ville
. Ouragan sur le Caire
. Typhon sur Néfertiti
. Isis Rider
. La tragédie de l'Ahmin
. Hôtel du Maure
. Alexandrie la bienheureuse
. Five Isis pieces
. Quand passent les ibis
. A l'Est d'Aden
. Pierrot l'Edfou
. Les ibis
. Guizèh (Devine qui vient dîner?)
. Les sphinx-nitouche
. Il était une fois dans l'Oued
. Qu'elle était verte ma vallée

<u>additifs</u> :

.
.
.
.
.
.
.
.
.
.
.
.

.
.
.
.
.
.
.
.
.
.
.
.

Diagramme 2

     Zet'fou fut pendant la première moitié de la dynastie Hsui le seul verbe utilisé en Chine. Il est à la base des multiples altérations sémantiques qui font la richesse actuelle de la langue chinoise. Le lexème verbal (ou "item verbal"), très souple, s'est plié à toutes les variations et combinaisons possibles. Ce phénomène met suffisamment en valeur le caractère naturel et idéogrammatique de cette langue, ainsi que l'ont souligné de nombreux sinologues chinois.

     Quant à la civilisation judéo-chrétienne, chacun sait que la présence du verbe y est attestée dès le commencement : *Au commencement était le Verbe, et le Verbe était auprès de Dieu, et le Verbe était Dieu*, nous dit Jean (I,1). Sous la Sainte-Trinité d'ailleurs, il ne se conjugue qu'à la deuxième personne et s'écrit avec une majuscule. Enfin, le référent y abonde.

     L'évolution ultérieure du verbe est à la fois trop évidente et trop complexe pour que nous éprouvions le désir d'y consacrer une glose superfétatoire qui ne ferait qu'alourdir le sujet.

(Fin de l'historique du verbe)

....

     Bon. Maintenant, assez joué! Il est grand temps que nos lecteurs se familiarisent avec les difficultés de la grammaire. La résolution du "QCM" suivant les y aidera.

°0° QUESTIONNAIRE A CHOIX MULTIPLES (QCM). 18 questions. Durée : 5'

Instructions. - *Pour chaque question, vous devez choisir parmi les quatre éléments (1, 2, 3 ou 4) celui qui, inséré dans l'emplacement laissé en pointillé, permet de constituer une phrase cohérente et grammaticalement correcte. Le signe - (tiret) indique qu'il n'y a rien à compléter dans la phrase proposée. Vous marquerez la réponse correcte d'une croix dans la case correspondante (1, 2, 3 ou 4) de la* **grille de réponse.** *Il n'y a qu'*une *réponse correcte pour chaque question.*

Au cas où vous souhaiteriez corriger une réponse déjà portée sur la grille, rayez distinctement la réponse erronée et confirmez votre réponse définitive en entourant la croix.

Nous rappelons le barème de correction : réponse juste = +3 ; pas de réponse = 0 ; réponse fausse ou réponses multiples = -1.

Pour le corrigé, voir en fin de volume.

Les 18 questions constituent un texte suivi (extr. de **Règles de la bienséance et de la civilité chrétienne** par M. de la Salle, chez les éditeurs Alfred Mame & fils imprimeurs-libraires, à Tours, 1854, Première partie "**De la modestie** Qu'on doit faire paraître dans le Port et le Maintien du Corps").

1. Dans l'Eglise, chez les Grands, & dans tous les endroits où règne la propreté, il faut cracher dans son .... .
   - 1) crachoir
   - 2) potage
   - 3) mouchoir
   - 4) ciboire

2. C'est une grossièreté impardonnable dans les enfans, que celle qu'ils contractent en crachant au .... de leurs camarades :
   - 1) nez et à la barbe
   - 2) mépris
   - 3) derrière
   - 4) visage

3. on ne saurait punir trop sévèrement ces ....
   - 1) incivilités
   - 2) déjections
   - 3) imbécillités
   - 4) petits garnements

4. On ne peut pas non plus excuser ceux qui crachent par les ....,
   - 1) narines
   - 2) temps qui courent
   - 3) fenêtres
   - 4) bouches d'égout

5. sur les ....
   - 1) murailles
   - 2) ecclésiastiques
   - 3) gendarmes
   - 4) meubles

6. & sur les .... ;
   - 1) tombes
   - 2) bénéfices
   - 3) burettes
   - 4) murailles

7. on doit encore éviter avec soin de laisser échapper, en parlant, de la ....
   - 1) morve
   - 2) bave
   - 3) fumée
   - 4) salive

8. sur le visage de celui qui écoute. Les enfans aiment à porter la main sur .... et les autres choses qui leur plaisent ;
   - 1) l'épaule
   - 2) les habits
   - 3) leurs soeurs
   - 4) leurs boutons

9. il faut corriger en eux cette démangeaison, et leur apprendre
à ne toucher que des .... tout ce qu'ils voient.
   1) doigts   2) dividendes
   3) yeux   4) bois

10. Il est de la bienséance & de la pudeur de couvrir toutes les
parties du corps, ... la tête et les mains ;
   1) surtout   2) sans
   3) en faisant   4) hors

11. ainsi il est indécent d'avoir la poitrine découverte & les bras
nus, les jambes sans ....
   1) entre   2) poils
   3) bas   4) dessous

12. & les pieds sans ....
   1) mauvais   2) orteils
   3) destal   4) souliers

13. Il est même contre la loi de Dieu de découvrir quelques
parties de son corps, que la ...., aussi bien que la nature,
obligent de tenir toujours cachées.
   1) culture   2) froidure
   3) pudeur   4) bitude

14. Il est à propos de s'accoutumer à souffrir quelques incommo-
dités sans se tourner, ...,
   1) frottir ni grattir   2) frottoir ni grattoir
   3) trottoir ni grattoir 4) frotter ni gratter

15. sans se remuer, & sans tenir aucune posture qui soit indécente ;
car toutes ces sortes d'actions & .... malséantes
   1) contorsions   2) postures
   3) lectures   4) ordures

16. sont tout-à-fait contraires à la pudeur & à la modestie. (...)
Lorsqu'on est couché, il faut tâcher de tenir une posture si
décente et si modeste que ceux qui approchent du lit ne
puissent pas voir la forme du ....   .
   1) petit oiseau   2) monticule
   3) corps   4) moule

17. Pour les besoins ...., il est de la bienséance (aux enfans même)
   1) naturels   2) de la cause
   3) urgents   4) de la chose

18. de n'y satisfaire que dans les lieux où l'on ne soit pas ....
   1) à l'aise   2) aperçu
   3) alla turca   4) vue d'ensemble

GRILLE DE REPONSE

N° question	Réponse				N° question	Réponse			
	1	2	3	4		1	2	3	4
1					10				
2					11				
3					12				
4					13				
5					14				
6					15				
7					16				
8					17				
9					18				

SCORE OBTENU :

-18	:	Stupéfiant
-17 à 0	:	Etonnant
1 à 10	:	En progrès ; vif et intéressé
11 à 20	:	Gagnerait à se concentrer davantage
21 à 53	:	Etonnant
54	:	Stupéfiant
plus de 54	:	Avenir assuré

II) DEFINITION DU VERBE

On disait depuis Aristote que "le verbe consignifie le temps". En réalité, le verbe en tant que tel est verbe. On entend par là que. En effet, il est le pivot de la phrase et sa pierre d'angle, la pièce maîtresse qui lui sert de support, sa base, son soutien, son agent général, sa *roue motrice*, autour de laquelle viennent s'agglutiner en un ensemble cohérent les segments des rapports syntagmatiques. On ne peut donc pas dire que la structure du verbe ressortisse à un procès stochastique.

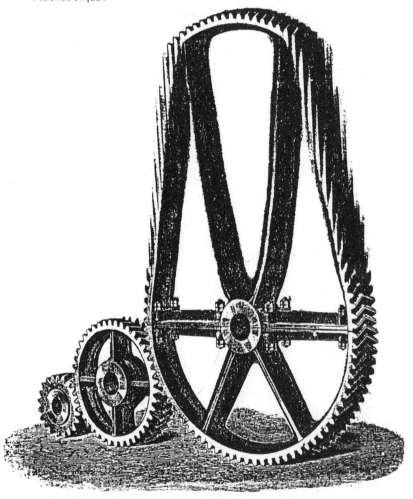

Fig. : Verbe à haute définition.

Il semble que ce schéma particulièrement explicite infère que le verbe a été considéré par les Anciens comme le terme essentiel de l'énoncé. Les grammairiens modernes, quant à eux, s'accordent pour dire que tout verbe exprime un procès.

Exemple :

> Pierre mange sa soupe (1).
> Pierre avale son brouet.
> Pierre savoure son velouté.
> Pierre siffle son vermicelle.
> Pierre consomme sa soupe.
> Pierre soupe d'un consommé.
> Pierre s'enfourne la gratinée.
> Pierre engloutit son chaudeau.
> Pierre dévore les yeux du bouillon.
> Pierre mange le bouillon des yeux.
> Pierre s'envoie la julienne.
> Pierre lèche les effondrilles.
> Pierre boit la garbure.
> Pierre absorbe sa bisque.
> Pierre se jette sur la croûte au pot.
> Pierre déglutit la bouillie.
> Pierre bouffe la bouillabaisse.
> Pierre déguste le gazpacho.
> Pierre tête le lait de poule.
> Pierre croque les gruaux.
> Pierre lampe la soubise.
> Pierre ingurgite son potage.
> Pierre se sustente de son jus.
> Pierre gobe sa chaudrée.
> Pierre prend sa blédine.
> Pierre mastique son porridge.
> Pierre pignoche sa lavasse.
> Pierre brife son minestrone.
> Pierre goûte son viandox.
> Pierre lichaille son rata.
> Pierre ingère son oille.
> Pierre boulotte sa panade.
> Pierre consulte son psychiatre.

Ce procès implique une marche, une démarche, un développement, dont le circuit apparaît tout à fait clairement dans l'exemple cité. Pour simplifier les choses et ne pas indisposer le lecteur par une matière trop riche, nous n'avons pas servi

---

(1) In *Dictionnaire de linguistique*, Larousse, entrée Syntagmatique, p. 478 vers le bas, quelques lignes avant l'entrée Syntagme.

ici de verbes à svarabhakti, ni d'autres - pourtant la tentation
était grande - utilisés uniquement dans quelques savoureux sabirs
ou comme noyaux de nexus, et nous n'avons pas non plus mentionné
le fait que dans certaines langues amérindiennes (le kalispel et
le tübatulabal notamment), l'expression du procès n'appartient pas
forcément au verbe. Les lecteurs friands se renseigneront d'eux-
mêmes.

III) CLASSIFICATION DES VERBES

III.1. Il existe des verbes inactifs et des verbes exactifs.

A. inactifs	B. exactifs
inspectorer	expectorer
insister	exister
inciser	exciser
aussecour	se noyer
être émouvi	(s') éclater
monaliser (1)	guiliguilir
s'ouffrir	exultater-jubilater
courir sur place	ventrouiller
perplexer	bondieumaicébiensire
conjugaliser	cielmonmarir
glandir	exabruptir
naître	enfanter
oisiver	vicier
poitier (2)	pioneer
stationner	verbaliser
gomorriser	sodomisir

additifs :

.   .
.   .
.   .
.   .
.   .

Il ne faut pas confondre les catégories de l'inactivité et
de l'exactivité avec celles de la passivité et de l'activité, ces
dernières faisant appel au registre des voix qui sera traité
plus loin sur le mode qui convient. En effet, un verbe inactif
peut être actif, un verbe exactif peut être tout aussi actif,
mais un verbe passif, s'il peut être exactif, ne peut pas être
actif (exemple : être sodomisi). L'inactivité et l'exactivité

---

(1) Comme nous le verrons plus loin, la Joconde sourit aux audacieux.
(2) En 1981, le gouvernement français oblige tous les magnétoscopes
    à poitier.

ne sont donc pas des critères fonctionnels pointus, mais de simples classes sémantiques dont seule une analyse serrée permet de délimiter le champ d'inaction et/ou d'exaction. Ce point particulier va être développé dans le paragraphe qui suit. Il serait par conséquent opportun qu'il fût lu.

III.2. Si ce paragraphe vous importune, ne tenez pas compte de la phrase précédente.

Les verbes inactifs et les verbes exactifs sont susceptibles d'une sous-classification qui s'ordonne selon les trois champs sémantiques (et ceux-là seulement) afférents à leur utilisation :

2.1. corps	2.1.A. prostrir	2.1.B. dévergonder
2.2. espace	2.2.A. flotter	2.2.B. soyouzer
2.3. temps	2.3.A. sinédier	2.3.B. remontoir

Cette sous-classification permet à son tour de délimiter, dans chacun des trois champs considérables, deux systèmes de verbes eux-mêmes divisés en sous-systèmes, dont la discrimination s'effectue par une combinatoire patiente et appropriée selon que le tiroir verbal est plus ou moins tiré dans un sens ou un autre.

2.4. - Système 1 : Verbe à deux monèmes

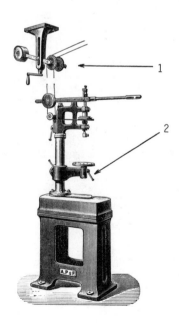

2.4.1. Verbes corpo-spatiaux (sous-système 1)

On dit qu'un verbe est corpo-spatial quand les deux monèmes
(corps/espace) sont fondus en un amalgame indissoluble et combinatoire inhérent à leur structure profonde. Ces deux monèmes pris
indépendamment l'un de l'autre éveillent de tout autres connotations.

2.4.1.1. inactif

Aussi je crains bien que ne se fasse ~~taper~~ ^{donner} *sur les doigts
tel rédacteur d'une feuille ~~de chou~~ — que je me garderai*
désigner *de ~~nommer~~ par grande ^{crainte} ~~peur~~ de lui nuire — qui malgré son* ^{entier}
dévouement à l'U.R.S.S. de Staline et à la Nouvelle
Constitution ~~Objectivité~~ ^{ose} ^{hasarder} *~~exagération~~ ~~regarder~~, en cours de ~~français~~,* ^{louange} *cette
timide ~~jeune fille~~.*

(André Gide : *Retouches à mon retour de l'URSS.*
Gallimard, 78° édition, Paris 1937, p. 50.)

2.4.1.2. exactif

*Aidée par un mouvement de violence, Fanny sortit de son
ankylose.*

(Colette : *La Seconde*, roman. J. Ferenczi & fils,
éditeurs, Paris 1929, vers le milieu de la p. 226.)

2.4.2. Verbes corpo-temporels (sous-système 2)

On dit qu'un verbe est corpo-temporel quand les deux monèmes
(corps/temps) sont fondus en un amalgame indissoluble et combinatoire inhérent à leur structure interne. Ces deux monèmes pris
indépendamment l'un de l'autre éveillent de tout autres connotations.

2.4.2.1. inactif

Cette nuit, il dort par électrolyse.

2.4.2.2. exactif

Cette nuit, il dore par électrolyse.

2.4.3. Verbes spatio-corporels (sous-système 3)

On dit qu'un verbe est spatio-corporel quand les deux monèmes
(espace/corps) sont liés en un amalgame indissoluble et combinatoire
inhérent à leur structure profonde. Ces deux monèmes pris indépendamment l'un de l'autre éveillent de tout autres connotations.

2.4.3.1. inactif

*Ce lieu sue la bêtise, pue la canaillerie et la
galanterie de bazar.* (Guy de Maupassant : *Oeuvres
complètes : Boule de suif, La maison Tellier, Premiers
contes : "La femme de Paul".* Maurice Gonon, éditeur
d'art, Paris, s.d., p. 241, 3° alinéa.)

2.4.3.2. exactif

Vider la fosse d'aisance.

2.4.4. Verbes spatio-temporels (sous-système 4)

On dit qu'un verbe est spatio-temporel quand les deux monèmes
(espace/temps) sont fondus en un amalgame indissoluble et combinatoire inhérent à leur organisation profonde. Ces deux monèmes pris
indépendamment l'un de l'autre éveillent de tout autres connotations.

2.4.4.1. inactif
Venez, si le pouvez, gibiers indolents! (Ferdinand de Lesseps : *En tressant mon Panama*. Ed. de l'Empire français, Versailles 1891, p. 63, note 2.)
2.4.4.2. exactif
Venez le gibier.

2.4.5. Verbes tempo-corporels (sous-système 5)

On dit qu'un verbe est tempo-corporel quand les deux monèmes (temps/corps) sont fondus en un amalgame indissociable et combinatoire inhérent à leur structure profonde. Ces deux monèmes pris indépendamment l'un de l'autre éveillent de tout autres connotations.

2.4.5.1. inactif
Etrange tableau où ses ratiocinations prenaient le pas sur les embrassades du jour de l'an. (Johanna Spyri : *Heidi à Constantine*. Fried. Andr. Perthes éd., Zurich 1900, p. 125 sous la gravure.)
2.4.5.2. exactif
Il faisait les cent pas l'année dernière à la même heure.

2.4.6. Verbes tempo-spatiaux (sous-système 6)

On dit qu'un verbe est tempo-spatial quand les deux monèmes (temps/espace) sont fondus en un assemblage indissoluble et combinatoire inhérent à leur structure profonde. Ces deux monèmes pris indépendamment l'un de l'autre éveillent de tout autres connotations.

2.4.6.1. inactif
On laissait les feux s'éteindre le samedi soir. Tous les autres jours, sauf le lundi, la chaleur de la veille demeurait présente, comme la fièvre dans un ciboulot. La chaudière, la nuit, mijotait toute seule.
(Jacques Audiberti : *Carnage*, roman. Gallimard, Paris 1942, p. 168, en bas.)
2.4.6.2. exactif
Cette amitié ne date pas d'hier. (Georges Bernanos : *Français si vous saviez. 1945-1948*. Gallimard, Paris 1961, lignes 4-5, p. 105.)

2.5. - Système 2 : Verbes à trois monèmes

2.5.1. Verbes corpo-spatio-temporels (sous-système 1)

On dit qu'un verbe est corpo-spatio-temporel quand les trois monèmes (corps/espace/temps) sont fondus en un amalgame indissoluble et combinatoire inhérent à leur cohérence profonde. Ces trois monèmes pris indépendamment les uns des autres éveillent de tout autres connotations.

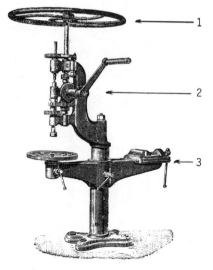

2.5.1.1. inactif

*Dans le cerveau industrieux de Bloom tournoyaient
toutes sortes de projets aussi utopiques les uns
que les autres.* (James Joyce : *Ulysse*. Gallimard,
Paris 1948, rééd. 1970, p. 584 au milieu.)

2.5.1.2. exactif

*Valerio Empoli marchait de long en large en mangeant
un toast.* (Roger Vailland : *Beau Masque*. Editions
Rencontre, Lausanne s.d., p. 141, dernier alinéa.)

2.5.2. Verbes corpo-tempo-spatiaux (sous-système 2)

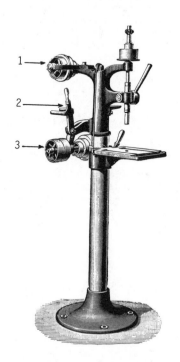

On dit qu'un verbe est corpo-tempo-spatial quand les trois monèmes (corps/temps/espace) sont fondus en un conglomérat indissoluble et combinatoire inhérent à leur structure profonde. Ces trois monèmes pris indépendamment les uns des autres éveillent de tout autres connotations.

2.5.2.1. inactif

Jamais elle n'avait joui, elle, d'un bonheur parfait. (Mr. l'abbé de Villiers, Ancien Professeur de l'Université : *Le modèle de la piété au milieu du monde ou Vie de Mlle Charlotte D... morte en 1838 en odeur de sainteté.* Paris s.d., Librairie de l'Enfance et de la Jeunesse, P.C. Lehuby Rue de Seine, N° 55, ci-devant le 53, p.) (1)

2.5.2.2. exactif

J'eus un jour pour postillon un garçon de quinze ans, dont les saillies me charmèrent. (A.-L. Ravergie : "La Hongrie et ses habitants - Un voyage aux steppes", in : *Magasin des Demoiselles, 1852-1853.* Paris, rue Laffitte 51, p. 302, lignes 16-17.)

2.5.3. Verbes spatio-corpo-temporels (sous-système 3)

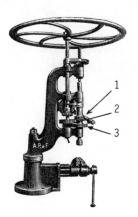

On dit qu'un verbe est spatio-corpo-temporel quand les trois monèmes (espace/corps/temps) sont unis en un amalgame indissoluble et combinatoire inhérent à leur structure profonde. Ces trois monèmes pris indépendamment les uns des autres éveillent de tout autres connotations.

---

(1) Cherchez la page vous-même.

2.5.3.1. inactif
Einige Tische entfernt sass ein Mann, bei dessen
Anblick ich sofort einen starken Ekel verspürte.
(Peter Handke : *Chronik der laufenden Ereignisse.*
Suhrkamp Taschenbuch n° 3. Frankfurt/Main, 3. Auflage
1975, p. 63 sous la photo.)
2.5.3.2. exactif
Aujourd'hui, la conversation a vite roulé sur Claire.

2.5.4. Verbes spatio-tempo-corporels (sous-système 4)

On dit qu'un verbe est spatio-tempo-corporel quand les
trois monèmes (espace/temps/corps) sont fondus en un amalgame
indissoluble et articulé inhérent à leur structure profonde. Ces
trois monèmes pris indépendamment les uns des autres éveillent
de tout autres connotations.

2.5.4.1. inactif
Non sans un système subtil d'esquisses. (Michel
Foucault : *Les mots et les choses. Une archéologie*
des sciences humaines. Gallimard, Paris 1966, p. 19,
1° ligne du 2° paragraphe.)
2.5.4.2. exactif
Aïe.

2.5.5. Verbes tempo-corpo-spatiaux (sous-système 5)

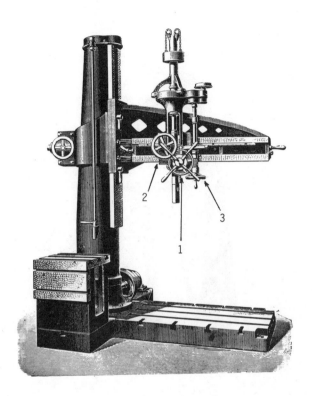

On dit qu'un verbe est tempo-corpo-spatial quand les trois monèmes (temps/corps/espace) sont fondus en un amalgame indissoluble et combinatoire afférent à leur structure profonde. Ces trois monèmes pris indépendamment les uns des autres éveillent de tout autres connotations.

2.5.5.1. inactif
  Le soir tombe. (Anonyme, XVIIIème siècle.)
2.5.5.2.
  Dans une de mes dernières promenades, je tombai sur un voyageur moitié berger, moitié pauvre garçon.

2.5.6. Verbes tempo-spatio-corporels (sous-système 6)

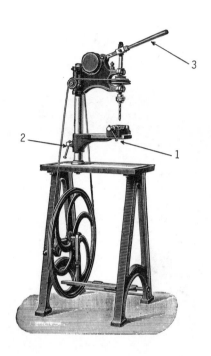

On dit qu'un verbe est tempo-spatio-corporel quand les trois monèmes (temps/espace/corps) sont unis en un assemblage indissociable et articulé afférent à leur organisation interne. Ces trois monèmes pris indépendamment les uns des autres n'éveilleraient plus aucun intérêt.

2.5.6.1. inactif

Lors de leur exaltation, les papes prêteront serment de ne jamais rien faire contre les quatre proposi- tions de l'Eglise gallicane, arrêtées dans l'Assemblée du clergé en 1802. (Bulletin des Lois de l'Empire français, 4° série, Tome douzième, Année 1810 premier Semestre, à Paris, de l'Imprimerie Impériale, août 1810, n° 266 du 17 février 1810, Titre II art. 13, p. 103.)

2.5.6.2. exactif

Sans doute cette scène a-t-elle eu lieu un autre soir ; ou bien, si c'est aujourd'hui, elle se place en tous cas un peu plus tôt, avant le départ de Johnson. (Alain Robbe-Grillet : *La maison de rendez-vous*, roman. Ed. de Minuit, Paris 1965, p. 30.)

TRAVAUX THEORIQUES

1) Parmi les verbes des différents volumes des *Hommes de bonne volonté* de Jules Romains, déterminez ceux qui sont inactifs et ceux qui sont exactifs. Une fois cette première discrimination effectuée, vous indiquerez à quel(s) système(s) et sous-système(s) ils appartiennent.

2) Même exercice pour les verbes suivants :

> vocabulaire, vanupier, gasouillir, pissoir, janfoutre, surréalisir, gretagarbure, noiréblanchir, lampassouder, sérinoire, gallinacer, beaufraire, boitaordure.

°0° 3) Résolvez les questions du "QCM" suivant (instructions, cf. supra). Les phrases sont indépendantes les unes des autres. (12 questions. 6')

1. Fallait-il que vous .... cette amère potion?
   1) avalisiez   2) ingérassiez
   3) ingurgitisassiez   4) prescrivassiez

2. On ne fait pas d'omelettes sans .... des oeufs.
   1) pondre   2) pocher
   3) cliner   4) cueillir

3. Messieurs les Anglais, ... les premiers.
   1) shootez   2) vous êtes
   3) poussez   4) ouiare

4. Pourquoi fallait-il que tu ....?
   1) éructasses   2) complotisses
   3) contumasses   4) pancréasses

5. André Gide aimait par dessus tout .... .
   1) haïr sa famille   2) lire Marcel Proust
   3) manger de la terre   4) suivre sa tante, mais
                                en la remontant

6. Pour avoir de bons amis, ...
   1) ronglez vos quêtes   2) reggae vos hymnes
   3) comptez vos règles   4) réglez vos comptes

7. Vous êtes .... à .... à un événement culturel.
   1) sale .... frémir   2) convoqué .... somnoler
   3) invité .... assister   4) enrhumé .... cracher

8. .... avec de vieux amis.
    1) Contez fleurette   2) Joyeux Noël (1)
    3) Prenez contact   4) Ayez peur

9. Vos amis vous aimeront davantage dans le cas où vous ....
    1) ririez   2) foutez le camp
    3) choucroute alsacienne (1)   4) faites comme chez vous

Les questions 10, 11 et 12 constituent une phrase suivie.

10. Montrez-vous .... dans une réunion mondaine ;
    1) bonne nageuse   2) à demi
    3) toute nue   4) du doigt

11. ce sera la meilleure attitude à .... ; et
    1) califourchon   2) adopter
    3) merveille   4) pied d'oeuvre

12. .... quel cadeau offrir à la maîtresse de maison.
    1) Bongû de Bongû   2) Petit Papa Noël
    3) Doux Jésus   4) cherchez

GRILLE DE REPONSE

n° question	Réponse			
	1	2	3	4
1				
2				
3				
4				
5				
6				
7				
8				
9				
10				
11				
12				

---

(1) Avec des saucisses fumées.

4) Justifiez les exemples cités dans la classification des verbes à l'aide des schémas suivants.

N.B. :   E = espace   P = proposition
          C = corps   PP = participe passé
          T = temps   V = verbe
          S = spatial   GV = groupe verbal

  3.1. (2.4.1.2.) "Aidée par un mouvement de violence, Fanny
                   sortit de son ankylose."

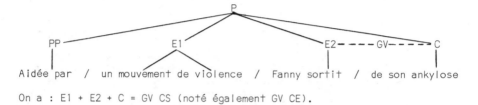

On a : E1 + E2 + C = GV CS (noté également GV CE).

  3.2. (2.4.3.1.) "Ce lieu sue la bêtise, pue la canaillerie et
                   la galanterie de bazar."

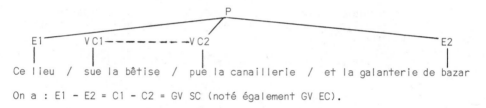

On a : E1 - E2 = C1 - C2 = GV SC (noté également GV EC).

  3.3. (2.5.2.2.) "J'eus un jour pour postillon un garçon de
                   quinze ans, dont les saillies me charmèrent."

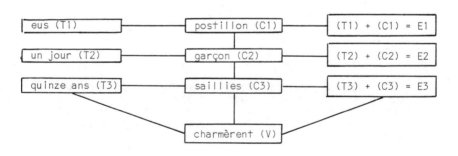

On a ainsi : GV CTS (noté également GV CTE).

IV) LES CONSTRUCTIONS DU VERBE (SON ARCHITECTURE)

IV.1. TRANSITIF/INTRANSITIF?

Pas de verbes transitifs ni de verbes intransitifs. La distinction n'est pas pertinente. Nous ne construirons donc pas les verbes selon ces, ne voulant pas, d'une part, privilégier la théorie traditionnelle au détriment de celles qui lui ont succédé.

> Le français moderne possède la faculté de commuter un verbe transitif avec un autre qui ne l'est pas (1). "J'ai dit bonjour" (transitif) n'est pas "J'ai dit" (intransitif), et pourtant il s'agit exactement du même verbe. D'ailleurs, les Indiens iroquésiens d'Amérique disent "Hugh" ; aucun linguiste sérieux n'a pu déterminer jusqu'à quel point cette formulation est transitive ou non.

D'autre part, nous ne souhaiterions pas que cet ouvrage fût le prétexte d'une polémique, qui serait de toute façon regrettable, entre les spécialistes de cette question particulière et focalise en quelque sorte les antagonismes de la linguistique moderne.

Exemples de verbes transitifs et/ou intransitifs :

. *Véronique parle chinois/parle le chinois/au Chinois.*
. *Il obéit Paul ce qu'il l'a dit le code de la route au moment où la monitrice l'enjoignait faire attention le gros chien.*
. *Elle répète avec sa question en anglais, l'autre la répond la même lenteur et la même apathie.*
. *Pierre mange au sujet de sa soupe. (cf. supra)*
. *Il parla enthousiasme, sentiment qu'il ne nous avait pas habitués.*
. *L'un n'empêche pas à l'autre.*
. *Elle posta Galène.*
. *Je penche, donc j'ai chu. (Auvergne)*

C'est ici qu'il faut faire intervenir la notion de transit temporaire : un même verbe peut être soit transitif, soit intransitif, selon l'usage qu'on en fait [Fay ce que vouldras (quoique le verbe vouldrer soit d'un emploi peu fréquent)] et selon le temps (durant lequel il est utilisé).

---

(1) Fred Lastood de Balbigny : *Transitivité : Mythe ou réalité?* 3° édition revue et diminuée, Balbigny 1972, p. 2461.

Le tableau récapitulatif suivant éclairera notre point de vue :

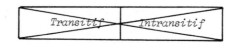

°0° "QCM". Cinq questions. Durée : 1,5'.

1. Je renonce à Satan, à ses oeuvres, à ses .... .
   1) chaussures   2) pompes
   3) godasses   4) brodequins

2. Comme entrée, on nous servit .... en gelée.
   1) sur des saumons   2) des oeufs à la neige
   3) des cantilènes   4) avec des angelots

3. La .... sourit aux audacieux.
   1) Joconde   2) jouvence de l'abbé
   3) petite   4) grande muette

4. Les .... sont caractérisés par leur mycélium formé de
   filaments continus, sans cloisons cellulaires.
   1) epsomites   2) pénitenciers
   3) siphomycètes   4) siphonophores

5. Nous vous prions de croire, Madame, Monsieur, à l'expression
   de nos .... .
   1) dissentiments tingués   2) ressentiments pectueux
   3) assortiments les meilleurs   4) sidérations consternées

GRILLE DE REPONSE

| n° | Réponse | | | |
question	1	2	3	4
1				
2				
3				
4				
5				

IV.2. MODES

Qu'en est-il alors de la question du mode, la manière dont le locuteur présente l'action à son interlocuteur, l'attitude du locuteur face à ses propres locutions? Qu'en est-il alors de la question ambiguë du *mode*, la réception du message et son décodage par celui (celle) auquel (à laquelle) le discours s'adresse? Hm?

EN FAIT, LE MODE N'EXISTE PAS!

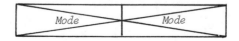

Si néanmoins l'on admet, contre toute logique, qu'il existe des modes?, il devient alors possible de distinguer les modes? personnels et les modes? impersonnels.

2.1. Les modes? personnels sont ceux qui.
> *Il fallait que vous montassiez à la tribune et que vous exabruptissiez une harangue à la foule enthousiaste.*

2.2. Les modes? impersonnels sont ceux que.
> *Je le vis prendissant son petit déjeuner, le sucriant à gorge déployante et émouvant le liquide avec une grosse cuiller à remuir.*

MODES? ET/OU TRAVAUX

1. Sachant que, (soit, ((d'une part, (((le parler populaire dans sa psychosystématique refuse la catégorie grammaticale configurée dans le verbe et dénotant le type de communication instauré par le locuteur entre lui-même et son double ((((ou un autre)))), que, (((((d'autre part, ((((((le projet (((((((*consilium*))))))) de ce locuteur ((((((((ou d'un autre)))))))) quant à ce qu'il dit ou cache ne laisse pas d'être malaisément discriminable,))))))))) soit))))))) dans l'analyse componentielle de l'ensemble des règles constituant l'étude systématique des éléments qui à leur tour constituent la langue, ses sons, ses mots, ses formes, ses

procédés et ses fonctions,))))))) le tiroir verbal exprimant
l'attitude du sujet face à son propre procès peut être altéré
par le jeu du mécanisme syntaxique,)))))) déterminer,)))))
d'après les trois exemples suivants,)))) que la catégorie
modale?))), considérée *stricto sensu,*)) ne résiste pas très
longtemps à l'analyse) :

a) *La Colonne qui, léchée jusqu'à ce que la langue saigne,
   guérit la jaunisse.*
   (Raymond Roussel : *Nouvelles impressions d'Afrique.*
   Éd. J.J. Pauvert, Paris 1963, p. 61 en haut.)

b) *Toi, toi et ta saleté de bite!*
   (Philip Roth : *Portnoy et son complexe.* Gallimard,
   coll. *Folio* n° 470, Paris 1970, p. 147, 5 lignes avant
   la fin.)

c) *Un jardinier bien monté a cinquante outils différens.* (1)
   (*Le jardinier fleuriste et potager ou Cours de jardinage
   à l'Usage de la Jeunesse,* par MM. H. et P., orné de treize
   gravures, à Paris, chez Mme Seignot, libraire, Quai Saint-
   Michel, 1822, p. 19.)

<u>2.</u> Précisez l'ambiguïté modale? des verbes du texte suivant :

*"Au salon de la porte de Versailles, le comité de propagande
Rhône-Alpes constitue, comme les années précédentes, un des fleurons
des "Provinces de France" où il accueille depuis dimanche dernier de
nombreux visiteurs originaires de nos départements - mais aussi
moult Parisiens et étrangers - en attendant d'être notre ambassadeur
à Londres du 12 au 19 mars.*

*"Dans leur stand de prestige (la reconstitution de la salle de
séjour d'une ferme bien de chez nous), le président Sauvan et M.
Couzon donneront cet après-midi une grande réception sur invitations
où les vins du Beaujolais, les Côtes du Rhône, les Côtes du Vivarais
et la clairette de Die seront au coude à coude pour ne parler que
des nourritures dionysiaques.*

*"Et, presque en même temps, pour que la fête soit complète,
M. Jean-Philippe Lecat inaugurera le pavillon Bourgogne-Bresse-Franche-
Comté, dont l'enseigne est également tout un programme... (Nos infor-
mations en page 5.)"*

La Tribune-Le Progrès, 7 mars 1979, à la une.

_____

(1) Certains auteurs préfèrent nommer cette catégorie la catégorie
    "nodale".

IV.3. TEMPS

Comme le temps n'existe pas, du moins sous la forme qui nous intéresse, il consiste soit à non-actualiser le non-énoncé, soit à désactualiser le désénoncé,

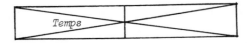

soit à a-actualiser l'a-énoncé.

Là!

Si néanmoins, de la même manière que nous l'avons montré au sujet (§2) du mode?, l'on admet contre toute logique qu'il existe le temps, il devient alors possible, mais non obligatoire, de distinguer

le temps suspendu	le temps utile
le temps-unité	le temps matériel
le temps incertain	le temps des cerises
le temps mauvais	le temps pas mauvais
le temps vilain	le temps affreux
le temps épouvantable	l'occis temps (temps mort)
le temps plié	le temps proustien
le temps conjugué	le temps pascalien

voire les anti-temps (temps versus), l'entre-temps avec alternance plus ou moins régulière de temps forts (gros) et de temps faibles, et jusqu'au temps diqueux, le temps-temps et bien d'autres encore.

Cette liste n'étant pas exhaustive, vous avez la facilité de répertorier vos propres catégories dans l'espace-temps ménagé ci-dessous :

temps _____	temps _____
temps _____	temps _____
temps _____	temps _____
temps _____	temps _____
temps _____	temps _____
temps _____	temps _____

Le temps ne concerne donc pas uniquement le verbe :
d'autres termes entrent eux aussi, avec ou sans délai, dans
le système du temps, système qui peut être simple, double,
triple, etc., comme le montre le tableau suivant :

Termes	Unités de temps	Solutions temporaires
à	6 ou 1	assistant, à temps, attend
argent	1 ou 1	Argentan, le temps c'est de l'argent
Ain	6	insistant
Berre	plusieurs	l'étang de Berre
bouille	1	tambouille
citron	0	un citron pressé
con	100, 6 ou 1	consentant, consistant, content
2 chiens	1	un temps, deux chiens
once upon	e	once upon a time
money	one	time is money
oc	6	occitan
on n'a pas tous les jours	20	on n'a pas tous les jours vingt ans
attendre	107	attendre 107 ans
moteur	2 à 4	C'est évident
oisif	∞	a tout le temps
ouzbékis	1	Ouzbékistan
paire	6	persistant
poètes	7	les Poètes de sept ans (Rimbaud)
Proust	1 + 1 = 2 (1)	Voir note
un bon bout	2	un bon bout, deux temps
Satan	2	tentant
vache	1 à beaucoup	taons
Additifs :		

---

(1) Un de perdu, un de retrouvé : *A la recherche du temps perdu*,
à partir de 1913 ; *Le temps retrouvé*, 1927. Il lui en aura fallu
tout de même un bon bout.

TEMPS - EXERCICE RETROACTIF

Trouvez le temps dans le texte suivant (1) :

> Longtemps je me suis couché de bonne heure. Parfois,
> à peine ma bougie éteinte, mes yeux se fermaient
> si vite que j'avais à peine le temps de me dire : "Je
> m'endors." Et, une demi-heure après, la pensée qu'il
> était temps de chercher le sommeil m'éveillait ; je
> voulais poser le volume que je croyais avoir encore
> dans les mains et souffler ma lumière ; je n'avais pas
> cessé en dormant de faire des réflexions sur ce que je
> venais de lire, mais ces réflexions avaient pris un
> tour un peu particulier ; il me semblait que j'étais
> moi-même ce dont parlait l'ouvrage : une église, un
> quatuor, la rivalité de François Ier et de Charles-
> Quint. Cette croyance survivait quelques secondes à
> mon réveil ; elle ne choquait pas ma raison, mais
> pesait comme des écailles sur mes yeux et les empêchait
> de se rendre compte que le bougeoir n'était plus
> allumé. Puis elle commençait à me devenir inintelli-
> gible, comme après la métempsychose les pensées d'une
> existence antérieure ; le sujet du livre se détachait
> de moi, j'étais libre de m'y appliquer ou non ; aussitôt
> je recouvrais la vue, et j'étais bien étonné de trouver
> autour de moi une obscurité douce et reposante pour
> mes yeux, mais peut-être plus encore pour mon esprit,
> à qui elle apparaissait comme une chose sans cause,
> incompréhensible, comme une chose vraiment obscure.
> Je me demandais quelle heure il pouvait être. (...)

IV.4. LA VOIX (CHAPITRE)

La voix est un ensemble, harmonique ou non, de procès
produits chez le locuteur par la vibration réelle ou spectrale
de certaines cordes grammaticales complexes sous la pression
de l'air (ou aspect) subglottico-diathétique. Entre le moment
où le locuteur décide de frayer sa voix pour ouvrir le procès
de sa convenance et la concrétisation perceptible à l'oeil
et/ou à l'esprit de ce même procès, il s'écoule un temps

---

(1) Impossible, du moins pour un bon bout de temps. (Cf. page
précédente.)

plus ou moins long (1), et le complexe produit, qui doit en
principe être modulé avant d'être énoncé (2), peut être
fondamentalement altéré par rapport à son point de départ :
la qualité fonctionnelle de la voix (3) peut se modifier (4),
elle peut perdre de son activité ou gagner en réflexion et
inversement, le phatisme peut être plus ou moins bon, l'écho
plus ou moins prolongé — selon que la cantatrice est plus ou
moins chaude —, mais ce complexe reste constant et constitue
la voix.

Exemples :

. Ah! Que j'aime les militaires, que j'aime les
  militaires, que j'aime les militaires, que
  j'aime!... (*dixit* la grande duchesse de Geroldstein)

. Pa-pa-pa-pa-geno
  Pa-pa-pa-pa-gena

        D'autre part, un consensus semble établi selon lequel il
est dangereux de s'engager sur, puisque aussi bien un train
verbal peut en cacher un autre. Par de conséquence, l'extension
du concept de train verbal, annécien de surcroît (voir pages
suivantes), est étroite, sans issue, voire impénétrable. La
meilleure preuve en est la perception historico-binauriculaire
au temps de Charles VII, attestée par l'organe populaire VPVD (5)
qui a laissé sans voix les sémiologues anglois au Colloque de
Rouen du 29 mai 1431 (6).

---

(1) La voix a donc certains rapports avec le temps.

(2) La voix a donc certains rapports avec le mode?.

(3) Qui a donc certains rapports avec les fonctions.

(4) Voir note (2).

(5) Vox Populi Vox Dei.

(6) Jeanne d'Arc, pucelle française comme il en faudrait
    beaucoup affligée de bourdonnements d'oreille et bergère
    née à Domrémy (Lorraine) en 1412. Pieuse, elle entendit
    les voix de son maître qui lui mandaient en français
    archaïque de bouter hors l'Anglois. Les Anglois, eux,
    la convièrent à Rouen, qui fut le foyer d'un important
    colloque chargé d'étudier son cas. Elle meurt, saisie,
    le lendemain (30 mai 1431).

La polysémie de la voix est particulièrement explicite dans certaines variations idiomatiques (substrat linguistique). Une intercompréhension plus aisée entre les sujets parlants (voix de communication) est encore facilitée dans ce domaine par les apports de la dialectologie structurale :

      Exemple :   1. sans voix
                   2. sans voie
                   3. s'en voit (comme 4)
                   4. s'envoie
                   5. cent voix
                   6. cent voies

En musique, le rôle de la voix est clair, le plus souvent. Rappelons simplement que, selon les clefs utilisées, on peut trouver la voix-si, la voix-la, la mezza (1), la sotto et la portée. (*Et pour montrer sa belle*, La Fontaine : *Fables*, "Le Corbeau et le Renard", 11° vers.) Ce qui n'a pas empêché Beethoven d'écrire, avec sa verve coutumière : "Bien qu'il le *voix*, personne ne l'entend." (2)

En vieux français, les registres de la voix sont assez étendus, surtout en Picardie, dans la vallée d'un des affluents navigables de la Somme, l'Arigoule, où il est encore malaisé de nos jours de traverser la rivière sans mettre le pied sur un manuscrit indélébile (par voix et parchemin), comme celui dit du *Beau lavandier*, à trois voix par ailleurs :

      On étoit la veille de Pâques,
      Il se la voix *dans un baquet.*

Et quelques vers plus loin, en amont :

      Il dévoroit sa souve de voix *cassée.*

Dans la même (...) d'eau, on peut trouver, bien que leur datation au carbone 14 atteste une origine nettement plus récente, des lettres entières de Sévigné, dont la 813 du 25 mai 1680 sur laquelle le statut fonctionnel de la voix reste encore très lisible :

---

(1) Ce mot indique que le locuteur ne doit pas émettre le procès dans toute la plénitude de sa voix. On le traduit donc souvent par "médiopassif".

(2) Neuvième Lettre en cis-moll op. 33-33/C, dite *Verehrtester Meister Diabelli!*.

N'avez-vous jamais ouï dire : "Il a une belle
voix *pour écrire?"*

                              Ce qu'elle n'a pas dû manquer
de dire de vive voix. (La voix jamais ne s'éteint.)

    Rousseau, qui ne fréquentait guère la Picardie ni Sévigné,
du moins à notre connaissance, distingue trois voix : la première,
la deuxième et la troisième, savoir : "la voix parlante ou articulée",
"la voix chantante ou mélodieuse", "la voix pathétique ou accentuée".
(Rousseau Jean-Jacques, citoyen suisse ; *Emile ou De l'Education*,
II.) On ne saurait mieux dire que la voix est libre.

    Il ressort de tout ceci que la voix est une catégorie fonc-
tionnelle étroitement enlacée au verbe (relation purement grammaticale) qui se caractérise par une interaction du sujet, de l'agent
et de l'objet. La diathèse ne concerne donc pas uniquement le
verbe. D'autres termes sont appelés aussi à entrer dans le système
de la voix, système qui peut être simple, double, triple, etc.,
comme le montre le tableau sonore suivant :

Termes	Nombre de timbres	Solutions polyphones
Abidjanais	0	Y voix rien
Callas	10	dioua
canon	2 à plusieurs	C'est évident
chien	2	ouah ouah
chercher	2	chercher sa voix (or il y a deux Savoie)
2 conséquences	par 1	par voix, deux conséquences
Dieu	∞	Les voix de Dieu sont infinies
éclaircir	2	éclaircir sa voix (=2)
Jeanne	4	"Jehanne!" (quater)
lalfacteur	1	voilà l'facteur
loucheur	2	voit double
non mais	plusieurs	non mais des voix!
pédale	2	pédale oua-oua
Renommée	100	Les 100 voix de la Renommée
Rousseau	3	Voir texte
rester	100	rester sans voix
turabra	1	voiture à bras
Additifs :		

Vol*taire* lui-même n'est pas resté insensible à l'appel de la voix. N'écrivoix-t-il pas : "Que croyez-vous qu'il arrivoix? Ce fut le serpent qui crevoix."

Selon le degré d'activité, d'affectivité et/ou d'effectivité du sujet, on distingue en outre les voix suivantes : la voix active qui n'est pas forcément exactive (cf. supra, Classification des verbes), la voix passive qui n'est pas forcément inactive (idem), et la troisième voie, qui est un moyen terme entre les deux autres.

Exemple 1 :   1.1. Marinette se la coule douce.
                    1.2. Marinette la coule douce.
                    1.3. Douce est coulée par Marinette.
                    1.4. Coule douce Marinette.

Exemple 2 :   2.1. L'Amérique combat pour l'indépendance des deux mondes.
                    2.2. Les deux mondes se combattent pour l'indépendance de l'Amérique.
                    2.3. L'Amérique est combattue par les deux mondes pour l'indépendance.
                    2.4. Exceptionnellement, il n'y a pas de 2.4.

RECREATIONS SUR LA VOIX : A CHANTER
(Exercices vocaux)

1) On peut utiliser les verbes suivants, comme tant d'autres, à plusieurs voix. Essayez.

canonner
stentir
chanter
vocaliser
s'époumoner
moderatocantabiler

2) Insérez dans les séquences suivantes des verbes (hauts ou bas) de votre choix utilisés à la voix convenable :

. Liberté, égalité, fraternité.
. Amour, délice et orgues.
. Pas de roses sans épines.
. Quousque Catilina.
. Travail, Famille, Patrie.
. Gare, saint, Lazare.
. Il n'est pas avec des pincettes.

. Veuillez mes meilleurs sentiments.
. Clic, brrr, froufrou, traderidera, lanturlu,
dondon, dondaine dondon, lafaridondaine,
coincoin, tralala, pouët pouët, floc, bredi-
breda, pan, ping, peng, tac, gnagnagna, pifpaf,
diguediguedon, boumboumbadaboum, tic-toc,
taletikêchok, ding, dingue, dong, chut,
tüüt, tip et tap, tap et tip, euh, beurk,
blablabla, psst, super, taratata, mouais,
mironton, mironton mirontaine, ouste, vlan,
meuh, atchoum, hichaechoc, clac, ouiche,
ouizz, splaash, couci-couça, couic, tarare
pompon.
. Je, tu, il.
. Oeil pour oeil, dent pour dent.
. Les gendarmes et la maréchaussée.
. Allegretto quasi andantino.
. Cochonnerie de poste.
. A malin, malin et demi.
. Daniélou, daniel-rops, danjou, danjoutin,
dannemarie, d'annunzio, dante, dante alighieri,
danton, dantzig ou danzig voir gdansk, danube,
daougavpils ou daugavpils, daoulas, daphné.
. Vingt-deux long rifle.
. Ille-et-Vilaine.
. Mehr Licht.

3) Si les anciens Egyptiens avaient connu le verbe (et donc
ses voix), comment pensez-vous qu'ils eussent formulé
la phrase du 3° paragraphe de la page 9 ?

4) Rétablissez la phrase correcte en choisissant la
bonne voix :

. Comme on fait mimi on touche.
. Grand-père est gavé de bonnes à tension.
. Marinette ne s'est pas faite en un jour.
. La nuit, tous les ivrognes sont gris.
. Qui veut voyager loin ménage sa piqûre.
. L'hépatite vient en mangeant.
. Mieux vaut être tenu que couru.

IV.5. LES AUXILIAIRES

IV.5.1. Définition

Les modes?, le temps et les voix sont trois grandes familles
dont les parentés et intercorrélations forment une structure
hétéronymique : il n'est pas inconcevable d'utiliser, comme le
fait par exemple l'école de Brno, d'autres catégories non encore
affermies par l'usage, ainsi : mi-temps, sous-temps, mezzo-voix
(1), mode temporaire, modo-voco-tempal..., et d'autres encore,
confirmées, elles : les auxiliaires.

Fig. : Nos précieux auxiliaires. Spécimens
d'auxiliaires confirmés.

Ce sont elles, ces combattantes qui ne font pas partie d'une
armée régulière mais qui sont placées sous l'autorité de son
commandant ; ce sont elles, ces obscures, ces sans grade, ces
adjuvantes (2), ces adjointes, ces complémentes, pauvres acces-
soires essentiels sans lesquels le verbe ne serait que ce
qu'il est :

_____

(1) Prononcez à l'italienne, s'il vous plaît.
(2) de Jean Varmerie : *J'en étais une*. Librairie académique
française, Paris 1918, p. 658.

> L'auxiliaire est un mot presque explétif
> auquel le langage refuse toute signification
> spécifique et qui n'existe que grâce à ses
> voisins.

Exemples :   (1) Elle a.
                    Elle a chanté le blues.

                (2) J'ai.
                    J'ai comme un Noir.

                (3) Zé souis.
                    Zé souis lé centaure dé Messico. (1)

                (4) C'est avoir.
                    C'est avoir, avoir, avoir, c'est avoir
                        qu'il nous faut.

IV.5.2. Types et fonctions

5.2.1. Certains êtres sont des auxiliaires purs (PA). Voir
Grammaire française du français contemporain, Larousse, Paris 1964,
p. 296.

                (5) Cet arbre pruine duveteuse gorgé de sève
                    turgescent le mouillement du fruit sur les
                    lèvres est un pêcher, Nathanaël.

5.2.2. D'autres êtres sont des auxiliaires maîtres (MA).

                (6) C'est un mutant.

5.2.3. D'autres encore sont là.

                (7) Dans l'être-pour-la-mort (*Sein zum Tode*),
                    l'être-là (*Dasein*) se comporte par rapport
                    à soi-même comme un pouvoir-être (*Seinkönnen*)
                    différencié. (2)

5.2.4. Les avoir, la plupart du temps (et du mode?), se
comportent de la même façon (excepté 5.2.3.) :

                (8) Cet arbre pruine duveteuse gorgé de sève
                    turgescent le mouillement du fruit sur
                    les lèvres, a un péché.

                (9) Ç'a un mutant!

                (10) Il en a. (Auxiliaire pur.)

---

(1) Le verbe "essouyer" n'est pas un auxiliaire.

(2) Martin Heidegger : *Sein und Zeit (L'Etre et le Temps)*,
    II° Section (*Dasein und Zeitlichkeit*), 1° chap., § 51,
    p. 252. Max Niemeyer Verlag, Tübingen, 10° édition
    1963. Trad. inédite.

5.2.5. D'autres enfin sont semi- (SA). Ce sont : all-, ven-, fai-, lais-, dev-, pouv-, ente- dir-, etc., habituellement utilisés sous leur forme complète. On peut élaborer à partir de là la notion de pouv-sav-, qui ne laisse pas de prêter à confusion, notamment dans le Nord de la France et chez nos amis Belges. On a ainsi :

(11) A l'heure qu'il a, l'enfant deve mouchir
sa péninsule du coude.

(12) Si le batracien descende, il pouve peuvoir.

(13) Ils venent de pendu le condamné.

5.2.6. Dans certains cas, hélas, l'auxiliaire être n'est pas pur, mais copule (CA). Quand l'auxiliaire être copule, il n'est pas passif.

(14) Baignol est Farjon. (1)

(15) La sainte est l'épouse du Christ.

(16) Cela est formidable, une fois.

TRAVAUX PRATIQUES INDUSTRIEUX

Etudiez les auxiliaires du texte suivant.

Un couac et les pigeons s'envolent dans toutes les directions. Se piétinant pour consommer les miettes éparses, ils dévoraient rondement cette pitance charitable lorsque se produisit l'erreur qui changea la satisfaction d'une harmonie coutumière en un grincement fangeux puis en cette sorte d'explosion sonore intermédiaire entre le boum et le vroom. L'instrument massacré ne donnait plus satisfaction. En toute ignorance, sur le simple rapport de leur ouïe, les colombidés s'effacèrent en des trajets rectilignes, mais variés. On retrouva des débris du groupe sur les bords des toits, sur les branches des arbres, sur les bras des statues. Quelques plumes retombent, inutile témoignage d'une divergence déjà décrite.

Raymond Queneau : **Morale élémentaire.**
Gallimard, Paris 1975, p. 141.

---

(1) Mais : Conté *a* Paris. / Si Paris *était* Conté.
Voir aussi plus loin : "Cas particuliers de certains verbes".

V) LA CONJUGATOIRE

V.1. DEFINITION

Observez le grand-père suivant :

CONJUGAISON DE L'EMPRUNT

Trouvez le verbe et son complément indirect. ∫

Grand'père souscrit pour nous!

> *Les conjugaisons sont un paradigme cohérent et souvent efficace qui permet de distinguer le verbe de ce qu'il n'est pas.*

De même que l'art de la combinaison, qui est également conjugaison, est la combinatoire (CO), de même que l'art de l'opposition, qui est également conjugaison, est l'oppositoire (O) (1), l'art de la conjugaison se nomme la conjugatoire (C). Nous nous en tiendrons désormais à cette seule terminatoire.

---

(1) Nous tenons à préciser que l'art de la conjugatoire *n*'est *pas* celui de la supposition.

Trois conceptions s'affrontent : 1. la conjugatoire comme opposition, fronde, voire disanalogie entre les temps, les modes? et les voix ; 2. la conjugatoire comme conjugaison, savoir alliance, concert, accord parfait.

3. On parle traditionnellement de plusieurs conjugaisons ; nous ne garderons que les principales conjugatoires. (1)

V.2. NOMENCLATURE DES TEMPS

```
indicatif présent
indicatif présent simple
indicatif présent composé
indicatif présent décomposé (inusité)
indicatif passé simple
indicatif passé compliqué
indicatif passé composé
indicatif passé décomposé (inusité)
indicatif passé surcomposé
indicatif passé antérieur
indicatif passé antérieur parfait composé
indicatif parfait
indicatif parfait composé
indicatif parfait décomposé (inusité)
indicatif moins que parfait
indicatif plus que parfait
indicatif imparfait
indicatif imparfait désuet (rare)
indicatif imparfait composé
indicatif parfait décomposé (inusité)
```

---

(1) Nous avions conjugué dans une précédente édition non parue un nombre impressionnant de tableaux relatant schématiquement les contorsions de la conjugatoire à travers les temps.

Aujourd'hui, l'agédent et fortune faite, nous sommes bien revenus de tout ça.

Nous en sommes venus à penser qu'un grand nombre de tableaux étaient superfétatoires (mais Dieu qu'ils étaient beaux dans leur cadre impavide, arborant fièrement leurs caractères composites).

Nous avons conservé les plus praticables. La liste, elle, est restée telle, ou presque.

indicatif futur
indicatif futuriste (moderniste)
indicatif futur simple
indicatif futur composé
indicatif futur décomposé (inusité)
indicatif futur imparfait
indicatif futur antérieur

subjonctif (1) présent
subjonctif présent simple
subjonctif présent composé
subjonctif présent décomposé (inusité)

---

(1) Raymond Queneau mentionne également le **surjonctif** et l'hyperjonctif : "Le surjonctif est un mode suffisamment rare en
français pour qu'il ait jusqu'à présent échappé aux yeux des
grammairiens les plus sagaces." Comme exemple de surjonctif,
il cite entre autres Pascal : "L'homme est un roseau pensant ;
qui l'eusseusse cru?" Pour l'hyperjonctif, un passage du
Défilé de François Coppée : "... Que ce beau régiment paras-
sassassât..." ("Du Verbe", in revue **Bizarre** n° 27, p. 36-38.)
Dans **La femme assise** d'Apollinaire, on pourrait presque parler
d'un hypojonctif, distingué d'un subjonctif visiblement trop
imparfait. Citons en ordonnant le hasard : "sans que l'esthétique
y perdit ses droits" (p. 192) ; "Il faudrait que dans tous les
esprits s'accomplit le miracle patriotique de la double vue"
(p. 197-198) ; "quoique la nuit, malgré la saison, ne fut pas
trop froide" (p. 203) ; "Des années passèrent sans que rien
interrompit la vie paisible que menaient l'homme et la bête"
(p. 205) ; "sans que Roudiol perdit de vue la sortie de la gare"
(p. 205) ; "qui avait eu l'occasion de lui être présenté avant
qu'il devint l'ennemi" (p. 224) ; "et (...), moitié pour que
Nicolas, dont il était l'ami, fut au courant du caractère de
sa maîtresse" (p. 228-229). En revanche, la séquence "Si bien
qu'il ne restât rien de cette histoire que huit jours de lit"
(p. 232) semble bien être une prémonition fulgurante du surjonctif (éd. Gallimard, 1920). Quant à Rachilde, elle se
montre elle aussi circonspecte sur le circonflexe : "... à
moins que ce ne fut un retour normal aux coutumes préhisto-
riques, le retour aux cocotiers!" (Les voluptés imprévues,
J. Ferenczi & Fils, éditeurs, Paris 1931, p. 59.)

```
subjonctif passé simple
subjonctif passé compliqué (à utiliser avec prudence)
subjonctif passé composé
subjonctif passé décomposé (inusité)
subjonctif passé surcomposé (vieux)
subjonctif passé antérieur
subjonctif passé intérieur (archaïsant)
subjonctif passé antérieur parfait composé (simple)
subjonctif passé antérieur parfait composé (compliqué)
subjonctif parfait (temps momentanément suspendu)
subjonctif parfait composé
subjonctif parfait décomposé (inusité)
subjonctif moins que parfait
subjonctif plus que parfait
subjonctif imparfait (parfois hypojonctif)
subjonctif imparfait composé
subjonctif imparfait décomposé (inusité)
subjonctif futur
subjonctif futur simple
subjonctif futur composé
subjonctif futur décomposé (inusité)
subjonctif futur imparfait (et ses composés)
subjonctif futur antérieur (à infixe nasal)


conditionnel présent
conditionnel présent simple
conditionnel présent composé
conditionnel présent décomposé (inusité)
conditionnel passé simple
conditionnel passé compliqué
conditionnel passé composé
conditionnel passé décomposé (inusité)
conditionnel passé surcomposé
conditionnel passé recomposé (nouveau)
conditionnel passé antérieur
conditionnel passé postérieur (nouveau)
conditionnel passé antérieur parfait composé
conditionnel passé antérieur parfait décomposé (inusité)
conditionnel parfait
conditionnel parfait composé
conditionnel parfait décomposé (inusité)
conditionnel moins que parfait
conditionnel plus que parfait
conditionnel imparfait
conditionnel imparfait composé
conditionnel imparfait décomposé (usité exceptionnellement)
conditionnel futur
conditionnel futur simple
conditionnel futur composé
conditionnel futur décomposé (inusité)
conditionnel futur imparfait
conditionnel futur antérieur
```

```
impératif (1) présent
impératif présent simple
impératif présent composé
impératif présent décomposé (inusité)
impératif passé simple
impératif passé compliqué
impératif passé composé
impératif passé décomposé (inusité)
impératif passé surcomposé
impératif passé antérieur
impératif passé antérieur parfait composé
impératif parfait (prussien oriental)
impératif parfait composé
impératif parfait décomposé
impératif parfait recomposé
impératif moins que parfait
impératif plus que parfait
impératif imparfait
impératif imparfait composé
impératif imparfait décomposé (inusité)
impératif futur
impératif futur simple
impératif futur composé
impératif futur décomposé (inusité)
impératif futur imparfait
impératif futur antérieur


infinitif présent
infinitif présent simple
infinitif présent composé
infinitif présent décomposé (inusité)
infinitif passé simple
infinitif passé compliqué
infinitif passé composé
infinitif passé décomposé (inusité)
infinitif passé surcomposé
infinitif passé antérieur
infinitif passé intérieur
infinitif passé intérieur recomposé (inédit)
infinitif passé intérieur imparfait (à paraître)
infinitif passé invariant
infinitif passé variant
```

---

(1) Immanuel Kant mentionne également l'impératif *catégorique*, que peu de grammairiens retiennent.

MONSIEUR,

Vous êtes prié par l'Administraion de l'Oratoire sous l'invocation de Saint Augustin, de faire station devant le Très-Saint Sacrement de l'Autel, exposé dans ladite Église pendant l'octave de la Fête-Dieu, depuis   heure jusqu'à   demain

Fig. : Immanuel Kant mentionne également l'impératif **catégorique**, que peu de grammairiens retiennent.

```
infinitif passé antérieur parfait composé
infinitif parfait
infinitif parfait composé
infinitif parfait décomposé (inusité)
infinitif moins que parfait
infinitif plus que parfait
infinitif imparfait
infinitif imparfait composé
infinitif imparfait décomposé (inusité)
infinitif futur
infinitif futur simple
infinitif futur composé
infinitif futur décomposé (inusité)
infinitif futur imparfait
infinitif futur antérieur
```

A l'indicatif, le participe se conjugue aux mêmes temps.
Au subjonctif, le participe se conjugue aux mêmes temps.
Au conditionnel, le participe se conjugue aux mêmes temps.
A l'impératif, le participe se conjugue aux mêmes temps.
Le participe ne se présente pas à l'infinitif.

   La liste ci-dessus n'est pas exhaustive. Elle ne contient
pas, par exemple, le plus-que-parfait nec plus ultra, ni
l'impératif passé antérieur parfait composé draconien. Il vous
appartient de la compléter. Contre dix listes correctes et
authentifiées, nous enverrons gracieusement et à titre indicatif un exemplaire dédicacé de notre opuscule *La conjugatoire
du verbe "aimer" au subjonctif passé compliqué* (à paraître et
avec figures) sur grand papier numéroté de un à dix. (Joignez
dix timbres pour la réponse.)

PREMIER GROUPE : TYPE "FINIR" (extraits) - INDICATIF/SUBJONCTIF/CONDITIONNEL/IMPERATIF/INFINITIF

Passé compliqué		Passé composé (1)		Passé surcomposé (2)		Passé antérieur	
que je	f	j'	AoiEaloueUeOeuoyee	je	nrblncrgvrtblvlls	je	finido
que je	f	j'	elaiueueouoaiaeaee	je	Jdrqlqjrvsnssncsltnts	je	finiré
que tu	f	tu	Aoioeeouoéaae	tu	nrcrstvldsmchscltnts	tu	finimi
que tu	f	tu	uioieauoueuaeuuee	tu	Qbmbnnt+rdspntrscrlls	tu	finifa
qu' il	f	il	oeoeEaeueaeueeee	il	Glfsd'mbrcndrdsdsvprstdstnts	il	finisol
qu' elle	f	elle	aeeaieieioaiaiooee	il	Lncsdsglcrsfrsrsblncsfrssnsd'mblls	elle	finila
que nous	f	nous	loueaaéieeêee	nous	prprssngcrchrrdslvrsblls	nous	finissi
que nous	f	nous	aaoêeoueieéiee	nous	Dnslclrsvrssspntnts	nous	finidodièze
que vous	f	vous	Uyeieeiieiie	vous	cclsvbrmtsdvnsdsmrsvrds	vous	finimibémol
que vous	f	vous	aiéaiéeéaiauaiee	vous	Pxdsptsssmsd'nmpxdsrds	vous	finisolmajeur
qu' ils	f	ils	ueaiieiieauaouieu	ils	Ql'l'lchmmprmxgrndsfrntsstdx	ils	finisolmineur
qu' ils	f	ils	Ouêeaioeieieuéae	ils	sprmClrnplndsstrdrstrngs	ils	finilamineur
qu' elles	f	elles	ieeaeéeoeeAe	elles	SlncstrvrssdsMndstdsngs	elles	finilabémol
qu' elles	f	elles	OOéaayoioeeYeu!	elles	l'mgrnvltdSsx!	elles	finiutdièzemineur

Parfait		Futur (3)	
je	finiàvingtdeuxfrancscinquante	je	finirai
je	finiàvingttroisfrancscinquante	tu	finiras
tu	finiàvingtquatrefrancscinquante	il	finira
tu	finiàvingtcinqfrancscinquante	nous	finirons
il	finiàvingtsixfrancscinquante	vous	finirez
elle	finiàvingtseptfrancscinquante	ils	finiront
nous	finiàvingthuitfrancscinquante		
nous	finiàvingtneuffrancscinquante		
vous	finiàvingtneuffrancssoixante		
vous	finiàvingtneuffrancsseptante		
ils	finiàvingtneuffrancsoctante		
ils	finiàvingtneuffrancsnonante		
elles	finiàtrentefrancscinquante		
elles	finiàtrentefrancssoixante		

(1) Voir **Voyelles** d'Arthur Rimbaud.

(2) Voir consonnes in **Voyelles** d'Arthur Rimbaud.

(3) Archaïque.

Parfait

que je	unchante
que je	onzechante
que tu	centonzechantes
que tu	millecentonzechantes
qu' il	onzemillecentonzechante
qu' elle	centonzemillecentonzechante
que nous	unmillioncentonzemillecentonzechantions
que nous	onzemillioncentonzemillecentonzechantions
que vous	centonzemillioncentonzemillecentonzechantiez
que vous	unmilliardcentonzemillioncentonzemillecentonzechantiez
qu' ils	onzebillioncentonzemillioncentonzemillecentonzechantent
qu' ils	centonzemilliardcentonzemillioncentonzemillecentonzechantent
qu' elles	untrillioncentonzebillioncentonzemillioncentonzemillecentonzechantent
qu' elles	onzetrillioncentonzebillioncentonzemillioncentonzemillecentonzechantent

Imparfait composé

que je	chantasse
que je	libertéchantasse
que tu	lalibertéchantasses
que tu	suislalibertéchantasses
qu' il	jesuislalibertéchantât
qu' elle	montagnesjesuislalibertéchantât
que nous	nosmontagnesjesuislalibertéchantassions
que nous	denosmontagnesjesuislalibertéchantassions
que vous	purdenosmontagnesjesuislalibertéchantassiez
que vous	airpurdenosmontagnesjesuislalibertéchantassiez
qu' ils	lairpurdenosmontagnesjesuislalibertéchantassent
qu' ils	respirerlairpurdenosmontagnesjesuislalibertéchantassent
qu' elles	arespirerlairpurdenosmontagnesjesuislalibertéchantassent
qu' elles	jaimerespirerlairpurdenosmontagnesjesuislalibertéchantassent

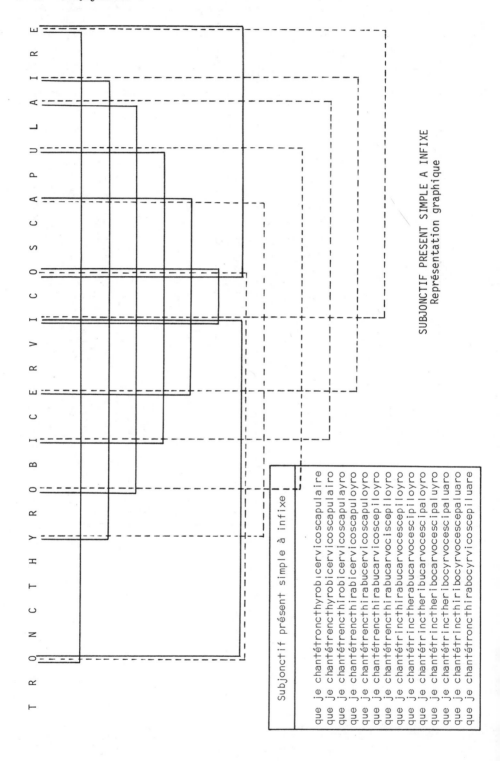

SUBJONCTIF PRESENT SIMPLE A INFIXE
Représentation graphique

Subjonctif présent simple à infixe

que je chantétroncthyrobicervicoscapulaire
que je chantétrencthyrobicervicoscapulairo
que je chantétrencthirobicervicoscapulayro
que je chantétrencthirabicervicoscapuloyro
que je chantétrencthirabucervicoscapuloyro
que je chantétrencthirabucarvicoscepiloyro
que je chantétrencthirabucarvociscepiloyro
que je chantétrincthirabucarvocescepiloyro
que je chantétrincthirabucarvocescipiloyro
que je chantétrincthirabucarvocescipaloyro
que je chantétrincthiribocarvocescipaluyro
que je chantétrincthiribocyrvocescepaluaro
que je chantétrincthiribocyrvocescepaluaro
que je chantétroncthirabocyrvicoscepiluare

Futur		Passé antérieur			
que	monocotylédonechanticulative	que j'	eusse	chanté	doppelt langsamer
que	monocotylédonhanticulative	que j'	eusse	chanté	lunga pausa
que	monocotylédoanticulative	que tu	eusses	chanté	compacievolmente
que	monocotylédnticulative	que tu	eusses	chanté	gerade Bewegung
que	monocotylétiticulative	qu' il	eût	chanté	tremendissimo
que	monocotyliticulative	qu' elle	eût	chanté	missa pro defunctis
que	monocotyculative	que nous	eussions	chanté	moderato religioso ma con movimento
que	monocotulative	que nous	eussions	chanté	schneller werdend
que	monocolative	que vous	eussiez	chanté	con debolezza
que	monocative	que vous	eussiez	chanté	mit den Trompeten
que	monotive	qu' ils	eussent	chanté	sehr lebhaft, mit vielem Humor
que	monive	qu' ils	eussent	chanté	un pochinetto
que	move	qu' elles	eussent	chanté	recitativo obbligato
que	me	qu' elles	eussent	chanté	una corda col pedale

Futur imparfait	Futur extérieur (1)	
qu' allons chanter	que je	chancrophile-trai (beurk!)
qu' enfants chanter	que je	chancrophobe-trai (pouah!)
que de la patrie chanter	que tu	chancrifuge-tras (bigre!)
que le jour chanté	que tu	chancriforme-tras (foutre!)
que de gloire est chanté	qu' il	chancrivore-tra (tiens tiens!)
qu' arrivé chanté	qu' elle	chancrogène-tra (quoi?!)
que contre chant	que nous	chancrocéphale-trons (oh!)
que nous chantons	que vous	chancrifère-trons (non!)
que de la tyrannie chantée!	que vous	chancripète-trez (hein?)
que l'étendard chantera	que vous	chancrophage-trez (halte-là!)
qu' sanglant chantait	qu' ils	chancropathe-ront (mazette!)
qu' est levé chanteras	qu' ils	chancrogame-ront (oh la la!)
que bis chanteras	qu' elles	chancrocycle-ront (tilt!)
qu' entendez-vous chanter?	qu' elles	chancriphone-ront (merde!)

(1) Nouveau. A n'utiliser que dans les cas graves.

TROISIEME GROUPE - TYPE "CONCEVOIR" - INDICATIF/SUBJONCTIF

Futur simple	Présent (1)	Présent simple	Présent composé
je concevra	que con	que conc	qui neditmotconçoit
je concevra	que con	que conc	qui neditmotconçoit
tu concevra	que con	que conc	qui neditmotconçoit
tu concevra	que con	que conc	qui neditmotconçoit
il concevra	que con	que conc	qui neditmotconçoit
elle concevra	que con	que conc	qui neditmotconçoit
nous concevra	que con	que conc	qui neditmotconçoit
nous concevra	que con	que conc	qui neditmotconçoit
vous concevra	que con	que conc	qui neditmotconçoit
vous concevra	que con	que conc	qui neditmotconçoit
ils concevra	que con	que conc	qui neditmotconçoit
ils concevra	que con	que conc	qui neditmotconçoit
elles concevra	que con	que conc	qui neditmotconçoit
elles concevra	que con	que conc	qui neditmotconçoit

Passé compliqué

que cequiseconçoitbiensénonceclairement

(autres personnes inusitées)

(1) Une erreur de typographie a provoqué l'interversion de la 2° et de la 5° personne dans la conjugaison du présent. Les lecteurs auront rectifié d'eux-mêmes.

passé antérieur		passé antérieur parfait composé		parfait (avec variantes)		
que je	etc.	que je	et coetera	que je	cueilletroiscornouflettes	ou cueilledixseptcornouflettes
que je	etc.	que je	et coetera	que je	humeleurfumetfragrant	....
que tu	etc.	que tu	et coetera	que tu	lesdécoupeenrhomboèdres	....
que tu	etc.	que tu	et coetera	qu'il	lesjettedansunemaritouille	....
qu'il	etc.	qu'il	et coetera	qu'elle	fissefrissonnirpatro	....
qu'elle	etc.	qu'elle	et coetera		trempetondoigt	....
que nous	etc.	que nous	et coetera	que nous	ycuise	....
que nous	etc.	que nous	et coetera	que nous	vaquionspendantcetemps	....
que vous	etc.	que vous	et coetera	que vous	nouyionslenouet	ou mouillionslenouet
que vous	etc.	que vous	et coetera	que vous	bouillionslecru	ou couillionslebru
qu'ils	etc.	qu'ils	et coetera	qu'ils	touillionsàlenvi	....
qu'ils	etc.	qu'ils	et coetera	qu'ils	déglacentdansunplatcreuxrésistant	....
qu'elles	etc.	qu'elles	et coetera	qu'elles	servezchaud	....
qu'elles	etc.	qu'elles	et coetera	qu'elles	dégustent	ou enlèventlesarêtes

parfait composé

que je	Apostolischer Nuntius (pronon. apostolichère nounn'+siousse)
que je	Polizeipräsident (pr. politssaï'prëzïdènn'+)
que tu	Generaldirektor (pr. guénéráâĪhl:direktor')
que tu	Konsul (pr. konn'zoule)
qu'il	Oberstudienrat (pr. ôbeur'chtoudiènn'rââht')
qu'elle	papa (pr. papa)
que nous	Sehr geehrter Herr Intendant! (pr. zér'guehértère hêr inn'tènn'dann'+!)
que nous	Privatdozent (pr. privââht'dotssènn'Ŧ)
que vous	Ordensschwester (pr. pr. Cornet')
que vous	Prokurist (pr. prôkourisste)
qu'ils	Diplomingenieur (pr. dĪplôômm'innjénieûrr')
qu'ils	Bürgermeister (pr. burguèrr'maŧstèrr')
qu'elles	Bischof (pr. bischof)
qu'elles	Seiner Eminenz dem Hochwürdigen Herrn Simplicius Kardinal Pläsier (pr. zaïnèrr'éminènn'tss dème hôôrr'vurrdikstènn' hêrr'nn zimm'plitssiousse cardinââhl plaẗziirr')

SUBJONCTIF (Suite)

Passé surcomposé

Conjugatoire A	Conjugatoire B
Cependant méprisant tous les prolégomènes Le paradigme naît comme un plaisir réflexe Le cricoïde vibre et les périspomènes Stroboscopiquement calment leur circonflexe	Cependant méprisant tous les prolégomènes Le paradigme naît comme un plaisir réflexe Le cricoïde vibre et les périspomènes Stroboscopiquement clament leur circonflexe
Stroboscopiquement calme prolégomène Le paradigme naît comme les circonflexes Cependant cricoïd' tous les périspomènent Et leur plaisir vibrant méprise leur réflexe	Stroboscopiquement comme prolégomènes Le paradigme clame un méprisant réflexe Et vibrent cependant tous les périspomènes Le cricoïde naît leur plaisir circonflexe
Et les périspomèn' calment leur circonflexe Cependant méprisant comme un plaisir réflexe Enfin le verbe vint et sa conjugatoire	Et cependant clament méprisants circonflexes Stroboscopiquement tous les périspomènes Comme un plaisir leur naît cricoïde réflexe
Tous les prolégomèn' méprisant les réflexes Vibrent comme un plaisir méprisants circonflexes Enfin le verbe vint et sa conjugatoire	Stroboscopiquement vibrent les circonflexes Cricoïdes plaisirs naissent prolégomènes Et tous leurs méprisants paradigmes réflexes

Parfait moliéresque

j'	aurais	eu conçu harpagon
j'	aurais	eu conçu cléante
tu	aurais	eu conçu élise
tu	aurais	eu conçu valère
il	aurait	eu conçu mariane
elle	aurait	eu conçu anselme
nous	aurions	eu conçu frosine
nous	aurions	eu conçu maîtresimon
vous	auriez	eu conçu maîtrejacques
vous	auriez	eu conçu laflèche
ils	auraient	eu conçu dameclaude
ils	auraient	eu conçu brindavoine
elles	auraient	eu conçu lamerluche
elles	auraient	eu conçu uncommissaireetsonclerc

Parfait chandlérien

j'	aurais	eu conçu philipmarlowe
j'	aurais	eu conçu elisabethbrightmurdock
tu	aurais	eu conçu jaspermurdock
tu	aurais	eu conçu lesliemurdock
il	aurait	eu conçu mmelesliemurdock(exlindaconquest)
elle	aurait	eu conçu horacebright
nous	aurions	eu conçu merledavis
nous	aurions	eu conçu elishamorningstar
vous	auriez	eu conçu alexmorny
vous	auriez	eu conçu louisemagic(mmemorny)
ils	auraient	eu conçu louvannier
ils	auraient	eu conçu eddieprue
elles	auraient	eu conçu georgeansonphillips
elles	auraient	eu conçu humphreybogart

Plus-que-parfait

je	sanctepetreconcevapronobis
je	sanctepauleconcevapronobis
tu	sancteandreaconcevapronobis
tu	sanctejacobeconcevapronobis
il	sanctejoanneconcevapronobis
elle	sanctethomaconcevapronobis
nous	sanctephilippeconcevapronobis
nous	sanctebartholomeconcevapronobis
vous	sanctemattheaeconcevapronobis
vous	sanctesimonconcevapronobis
ils	omnessanctiapostolietevangelistaeconcevapronobis
ils	sanctethaddeaeoraetconcevapronobis
elles	sanctebarnabaconcevapronobis
elles	omnessanctidiscipulidominiconcevapronobis

Présent compliqué

j'
j'
t
t
i
e
n
n
v
v
i
i
e
e

CONJUGAISON LIVRESQUE SPECIALE (En vente chez tous les libraires)

J'accuse ou la vérité en marche
J'achète mon logis
J'ai quinze ans et je ne veux pas mourir
J'ai risqué ma vie
J'ai vaincu mes rhumatismes
J'aimais un vagabond
J'améliore ma maison
J'aménage mon jardin
J'apprends tout moi-même
J'élève mon chat
J'élève mon chien
J'élève mon enfant
J'élève mes oiseaux
J'entretiens ma voiture
J'étais médecin à Dien Bien Phu
J'étais un kamikaze
J'étais un drogué
J'étais une jeune fille laide
J'habille mieux mes enfants
J'imprime en couleurs
Je bridge
Je choisis mes tapis
Je choisis mon manteau de fourrure
Je collectionne les timbres
Je conduis mieux
Je connais mieux le français
Je connais Paris comme ma poche
Je connais tous les champignons
Je connais tous les fromages
Je connais tous les styles
Je connais tous les vins

Je conserve tous les aliments
Je construis mon logis
Je couds
Je crois en Jésus-Christ aujourd'hui
Je cuisine vite
Je décore ma maison
Je dessine Un et Deux
Je développe et j'agrandis mes photos
Je et tu
Je fais tous moi-même
Je fais toutes mes jupes moi-même
Je filme
Je guérirai les incurables
Je joue de la guitare
Je l'ai pas vu, je l'ai pas lu,
mais j'en ai entendu causer
Je l'appelais Sweetie
Je m'envolerai avec toi
Je me maquille
Je me perfectionne en allemand
Je me relaxe
Je n'oublierai jamais
Je ne pense qu'à ça
Je ne pense qu'à chat!
Je ne regrette rien
Je ne sais pas pourquoi
Je parle allemand
Je parle anglais
Je parle espagnol
Je parle italien
Je parle néerlandais

Je parle portugais
Je parle russe
Je photographie
Je photographie à l'intérieur
Je réclame la peine de mort
Je réponds à mon enfant de deux à
dix ans
Je réponds à mon enfant de dix à
dix-huit ans
Je réponds aux curiosités sexuelles
de l'enfant
Je restaure et j'entretiens les objets
d'art et les meubles anciens
Je reste un barbare
Je reviendrai à Kandara
Je suis bien assuré
Je suis fakir
Je suis mal dans ta peau
Je suis née grecque
Je suis physionomiste
Je suis prestidigitateur
Je suis secrétaire
Je suis ventriloque
Je t'aime, suivi de La Jalousie
Je t'apporterai des orages
Je tricote
Je veux regarder Dieu en face
Je vivrai l'amour des autres
Je voudrais pas crever

CONJUGAISON LIVRESQUE (Suite)

Tu es ma lumière
Tu me mentais si bien
Tu n'en aimeras qu'un
Tu n'es pas mort à Stalingrad
Tu mens, Beth
Tu récolteras la tempête
Tu seras un homme
Tu trahiras sans vergogne

Il, donc
Il est minuit, Cendrillon
Il est minuit, docteur Schweitzer
Il est plus tard que tu ne penses
Il était deux fois
Il faut chanter, Isabelle
Il faut toujours choisir
Il suffit d'aimer
Il ne viendra plus personne
Il y a encore des paradis
Il n'y a pas de paradis
Il n'y a plus de patrie
Il y a des poètes partout
Il y a un autre monde

Elle, Adrienne
Elle avait trop de mémoire
Elle, lui et moi

Nous autres, gens des rues
Nous autres, les Sanchez
Nous et moi
Nous les maîtres d'école
Nous ne sommes pas seuls
Nous recevons
Nous, travailleurs licenciés

Vous êtes ma prisonnière
Vous les entendez
Vous, ma Bien-Aimée
Vous manquez de tenue, Archibald
Vous n'allez pas avaler ça
Vous pigez?
Vous souvenez-vous de Paco?
Vous verrez le ciel ouvert

Ils annoncent Jésus-Christ. Les patriarches.
Ils arrivent!
Ils ne pensent qu'à ça
Ils sont moches

Elles
Elles attigent
Elles se rendent pas compte

Les autres conjugatoires non mentionnées dans les différents tableaux ou bien s'identifient avec les conjugaisons traditionnelles, ou bien ne sont pratiquement plus en usage.

VI) CAS PARTICULIERS DE CERTAINS VERBES

VI.1. AUXILIAIRES

La phrase (14) de la page 44 est une bonne illustration de l'ambiguïté de l'auxiliaire copule : en effet, "Baignol est Farjon" peut s'écrire

. Baignol effare Jon
. Baignol hait Farjon

et même à l'impératif (uniquement en langue écrite)

. Baignoléfarjons!

On constate la même ambiguïté pour des phrases du type Rivoire est Carret, etc.

VI.2. CONJUGATOIRE

2.1. Les verbes suivants ne se conjuguent qu'au participe présent simple (c'est pourquoi, par exemple, il est si compliqué de confler sainte Honorine) :

. ménilmonter
. (s') acriper (voir chenaper)
. borissevier (voir vernonnesulliver)
. chenaper (voir (s') acriper)
. chateaubriller
. futalgrimper
. concupiscer
. lyir
. olifoire de rolir
. rouer
. sultanadomir
. vernonnesulliver (voir borissevier)

additifs :

.
.
.
.
.
.
.
.
.

2.2. Certains verbes ne se conjuguent jamais.

    Ex. pantalons

2.3. Le subjonctif imparfait des verbes du premier groupe (type "finir") est inusité, sauf pour le verbe "venir" (et ceux de sa famille), qui fait :

    tu venir oui ou merde, etc.

2.4. D'autres ne se conjuguent pas.

    Ex. pantalons

2.5. Les verbes en -RER prennent le métro à toutes les personnes. Exception : cité-dortoir.

2.6. Aussi fréquemment on emploiera dans les phrases courantes les verbes : octupler, schlitter, malléer, catir et désinfatuer, aussi fréquemment il sera nécessaire de les conjuguer au temps correct et selon la signification qu'on voudra donner à l'énoncé.

2.7. Le rhinocéros barète.

2.8. Certains verbes ne se conjuguent qu'à la troisième personne du singulier de l'indicatif passé simple :

    . émilzoler
    . fasoler
    . tomboler

2.9. Tous les verbes sont des termes premiers ; ils s'auto-génèrent *ex nihilo*. Un verbe peut être nom (infinitif substantivé), toujours masculin chez la vieille dame du quai de Conti, masculin ou féminin ailleurs (cf. infra, § "Genres").

    Ex. . le cerisier (infinitif)
        . la champmeslé (participe)
        . la virginité (inusité)

    additifs :

    .
    .
    .
    .
    .
    .
    .
    .

BIBLIOGRAPHIE ORIENTEE (VERBE)

1. GENERALITES

. Guillaume Apollinaire : **Les onze mille verbes.** En Vente
    chez tous les libraires. Paris 1907.
. Jules Verbe : **Vingt mille lieues sous les verbes.** Coll.
    Hetzel. Paris 1870.
. **Je verbe à tous les étages.** Petite encyclopédie du
    bricoleur. Paris 1936.
. Arthur Rimbaud : **Alchimie du Verbe,** in **Une saison en
    enfer,** 1874.
. Boris Vian : **Verbecoquin et le plancton.** Gallimard, coll.
    "La plume au vent". Paris 1946.
. **Je cruciverbe,** d°.

2. TRANSITIF/INTRANSITIF

. Fred Lastood de Balbigny : **Transitivité : Mythe ou réalité?**
    Ed. Fred Lastood de Balbigny, 3° éd. revue et diminuée,
    Balbigny 1972.
. Fédor Michaïlovitch Kharpouzov : **Le roman à tiroir verbal.**
    Kiev 1924.

3. MODES?

. Létrip Alla : **Mode.** Caen 1948 (janvier).
. Roland Barthes : **Système du mode.** Ed. du Seuil. Paris 1967.
. Jules Verbe : **Le tour du mode en quatre-vingts jours.**
    Coll. Hetzel. Paris 1873.
. Jean Guareschi : **Le petit mode de Don Camillo.**
. H.G. Wells : **La guerre des modes.** Londres 1898.
. **Le mode, la mode.** Sans nom d'auteur. Ed. de la Revue des deux
    Modes. Paris, s.d.
. Raymond Queneau : "Du Verbe" (Le surjonctif), in revue
    Bizarre n° 27, 1° trimestre 1963. J.J. Pauvert éditeur.
    Paris, p. 37-38.

4. TEMPS

    Devant l'abondance des ouvrages consacrés au temps dans la
grammaire, nous avons été contraints de faire un choix sélectif ;
nous n'indiquerons ici que les plus profitables.

. Martin Heidegger : **Sein und Zeit** (L'être et le temps).
    "Jahrbuch für Phänomenologie und phänomenologische
    Forschung". Hg. Edmund Husserl. Vol. VIII, 1927.
. Frédéric Nietzsche : **Considérations intempestives.** 1873-74.
. Alphonse de Lamartine : "Le Lac", v. 21, hémistiche de
    gauche, in **Méditations poétiques.** Paris 1820.
. Jean-Baptiste Poquelin : **L'étourdi ou Les contretemps.**
    Lyon 1655.
. Paul Verlaine : **Jadis et naguère.** Paris 1855.
. Françoise Sagan : **Dans un mois, dans un an.** Le temps d'un
    soupir.
. José Cabanis : **Les cartes du temps.**

En outre, le lecteur consultera avec profit tous les numéros encore disponibles des revues spécialisées suivantes : **Die Zeit** (Hambourg), **Le temps** (Paris), **The Times** (Londres), **Time** (New York), **Il tempo** (Rome), **Les temps modernes** (Paris), etc.

5. VOIX

- Lionel White : **Voix détournées.** Gallimard. "Série Noire" n° 656. Paris 1961.
- Luis Bunuel : **La voix lactée.** Paris-Rome 1968.
- André Malraux : **La voix royale.** Gallimard. Paris 1930.
  Les voix du silence. Gallimard. Paris 1951.
- Gertrud Walker : **A contre-voix.** Gallimard. "Série Noire" n° 67. Paris 1950.
- Jean Mitry/Arthur Honegger : **Passific 231.** Paris 1923.

6. AUXILIAIRES

- Ernest Hemingway : **En avoir ou pas.**
- Jean-Paul Sartre : **L'être et le néant.** Gallimard. Paris 1943.
- Ernst Lubitsch : **To be or not to be (Jeux dangereux).** Hollywood 1943.
- Gilbert Cesbron : **Avoir été.**
- Jean Cocteau : **La difficulté d'être.**
- Jules Verbe : **Les copulations d'un Chinois en Chine.**
- Sigismond Freud : **L'Ur-être, auxiliaire copule.** Vienne 1899.
- Ludwig van : **L'être à Elise.**

7. CONJUGATOIRE

- M. Constantin-Weyer : **Un homme se penche sur son passé.**
- Jean Tardieu : **La première personne du singulier.**
- André Malraux : **La condition humaine.** Gallimard. Paris 1933.
- Erich Maria Remarque : **Le temps d'aimer et le temps de mourir.**
- Henri Pichette : **Joyce au participe futur.** Mercure de France. Paris 1950.
- Raymond Queneau : "Du Verbe", in **Bizarre** n° 27, 1° trimestre 1963. J.J. Pauvert éd., p. 36-38.
- Guillaume Apollinaire : **La femme assise.** Gallimard. Paris 1920.
- Rachilde : **Les voluptés imprévues.** J. Ferenczi & Fils. Paris 1931.

Impératif

Signalons, à titre indicatif :

- Albert Simonin : **Touchez pas au grisbi!** Gallimard. "Série Noire" n° 148. Paris 1953.
- Donald MacKenzie : **Dites : Je le jure!** Gallimard. "Série Noire" n° 455. Paris 1958.
- André Piljean : **Passons la monnaie!** Gallimard. "Série Noire" n° 98. Paris 1951.
- Raymond Thornton Chandler : **Fais pas ta rosière!** Gallimard. "Série Noire" n° 64. Paris 1950.

66

. Day Keene : **Cause toujours mon lapin!** Gallimard. "Série
      Noire" n° 253. Paris 1955.
. Frank Kane : **Envoyez, c'est pesé!** Gallimard. "Série
      Noire" n° 100. Paris 1951.
. James Hadley Chase : **Méfiez-vous, fillettes!** Gallimard.
      "Série Noire" n° 41. Paris 1949.
. Allan Chase : **Ote-toi de mon soleil!** Gallimard. "Série
      Noire" n° 113. Paris 1952.
. James Hadley Chase : **Lâchez les chiens!** Gallimard. "Série
      Noire" n° 52. Paris 1950.
. James M. Fox : **Renversez la vapeur!** Gallimard. "Série
      Noire" n° 346. Paris 1956.
. Garçon, **Et deux impératifs!** "Série Boire" (à paraître).

Additifs :

.
.
.
.
.
.
.
.
.
.
.
.
.
.
.
.
.
.

Chapitre deuxième
Le nom

I) HISTORIQUE DU NOM

L'origine du nom se perd dans la nuit des temps. Aux aubes de l'homme, quand une sourde angoisse étreignait les êtres (zεtr) perdus dans le chaos primitif, il semble bien que les bribes embryonnaires du langage aient été purement paraphrastiques : l'homme hurlait avec les loups, blatérait avec les chameaux, caracoulait avec le ramier, frigottait avec les pigeons, vagissait et lamentait avec le crocodile, chicotait avec sa souris, aboyait avec les chiens quand passait la caravane, mugissait avec les vaches, cajolait avec la pie, piquenaugonnait avec les cnidaires, bramait et réait avec les ruminants cervidés, sonnait avec les diapas, béguetait avec la chèvre, clabaudait avec le haro, tire-lirait avec les alouettes, cbaragouinait (1) avec le métazoaire triploblastique acoelomate, clatissait avec ses chiens de chasse, crêtelait avec les poules, gémissait avec ses vieux meubles, pupulait avec la huppe, glougloutait avec le pluviomètre enregistreur, couraillait avec les cailles, baretait avec les éléphants ou les rhinocéros, montjoyait avec le saint-denis, chuchotait avec le moineau alors qu'il glapissait avec la zulie, frouait avec les chouettes, soufflait avec les buffles, dînait avec les zosaures, graphait avec les phonos, déglutissait avec le potorou, barrissait avec les thons, tirait avec le chevrotin, grommelait avec la laie, râlait avec les levrettes, coqueriquait avec les poulpes, échappait avec les pots, bêlait avec les décis, et son "coeur écoutait le chant de la Nature dans les plaintes de l'arbre et les soupirs des nuits".

Autant dire qu'à Néanderthal, les idiolectes étaient réduits au minimum vital ; le style était uniquement imagé, l'homme ne savait pas encore donner de noms aux machins. Les ancêtres des noms, outre leurs enfants vêtus de peaux de bêtes, se caractérisaient surtout par leur symbolisme phonique, hérité des onomatopées primitives. Dans le seul dictionnaire paléolithique qui nous soit parvenu (2), on constate une hypertrophie remarquable de la rubrique *realia* par

---

(1) Le verbe primitif **cbaragouiner**, longtemps oublié, est remis à l'honneur par Brassaï. Il ne se trouve ni dans la langue de Goethe, ni dans celle de la perfide Albion : "Le jeune Renaud, s'il était déjà un érudit en littérature germanique, ne comprenait pas un traître mot d'anglais. Henry dut don cbaragouiner avec lui en français." (Brassaï : **Henry Miller grandeur nature**, Gallimard, Paris 1975, p. 72.)

(2) **Dictionnaire de Runes** en XXVI tonnes. Bibliothèque d'Alexandrie (Egypte), pièce 5278 annexe F, 7° sous-sol, rayons 16643/B et suivants (section "Gros pavés").

rapport aux *denotata* : les entrées lexicographiques y sont encore
assez rares, l'objet est représenté par son illustration graphique
et non par sa définition théorique ou abstraite.

Exemple :

> Fig. : L'objet est représenté par son illustration
> graphique et non par sa définition théorique
> ou abstraite.

Avant Néanderthal, comme le note par ailleurs Martin Heidegger,
lorsqu'il phallus habiter le chaos, il phallus bien aussi le nommer,
pour qu'il devienne cosmos. N'est-il pas concevable, alors, que
la naissance du nom précède dans le temps celle du verbe?

Le premier homme disposait d'un nom unique, qui désignait Tout,
et dont un philologue anonyme a établi, après de multiples recherches,
la transcription approchée : [⬚⬚⬚⬚⬚⬚⬚]. (1)

> L'AUTRE. – *Mais comment communiquait-il?*
> CELUI QUI SAIT. – *Avec qui?*
> L'A. – *Que sais-je, avec les arbres!*
> CQS. – *L'Arbre.*
> L'A. – Les *arbres.*
> CQS. – *Les arbres n'existaient pas... Il y avait Un Arbre,*
> *Un Améthyste violet, un Panthère Royales avec Un*
> *Rayure Noir, Un Tabac Blond, bref, il n'y avait qu'Un.*

---

(1) La linguistique actuelle préfère à cette transcription empirique
celle, plus scientifique, de : [⬚⬚⬚⬚⬚⬚]. Seul ce
terme bénéficie de notre blanc-seing.

> L'A. - *J'infère de votre propos qu'un seul mot suffisait*
> *pour Tout nommer, qu'à lui seul, en tous lieux...*
> CQS. - *Vous voulez dire* Tout Lieu.
> L'A. - *... il enfermait les vastitudes de la mer, des*
> *plaines, des campagnes et des empires.*
> CQS. - *Il n'y avait qu'Un Nom.*
> L'A. - *Un Nom?*
> CQS. - *Un Nom.*

Ainsi s'explique la naissance du Nom commun (NC).

> L'A. - *Mais comment communiquait-elle?*
> CQS. - *Avec qui?*
> L'A. - *Que sais-je, avec les pierres!*
> CQS. - *La Pierre.*
> L'A. - Les *pierres.*
> CQS. - *Les pierres n'existaient pas... Il y avait une Pierre,*
> *Une Chêne Verte, Une Zèbre Parisienne avec Une*
> *Rayure Blanche, Une Filtre Cendrée, etc., bref, il*
> *n'y avait qu'Une.*
> L'A. - *Je ne comprends pas.*
> CQS. - *Elémentaire, mon cher Autre. Quand je vous dis Un,*
> *il faut entendre Une, et Une c'est Un.*

Ce Nom connut ensuite de très nombreuses modifications et altérations nées du besoin, dans un monde chaque jour enrichi de substances nouvelles, de ne pas confondre les substances entre elles : d'où le terme de *substantif* parfois appliqué au nom. On aboutit ainsi à la formation d'un registre

> *Substance :* substantif féminin (lat. **substantia**, de **substare**,
> se tenir dessous). Ce qu'il y a dessous le dessus,
> le permanent dans les choses qui changent.
>
> En substance, on a :
> - substantia-substans (permanent)
> - substantia-substantata (transitoire)
> cf. Le cinéma permanent, l'agent de change
> Synthèse : *Tel qu'en lui-même l'éternité le*
> *change.*

sémantique de plus en plus évolué, jusqu'à la création d'archilexèmes synthétiques dont l'emploi avait l'avantage de simplifier l'économie du langage. (Voir page suivante.)

((nuit des temps))

```
                    N O M            (archilexème)
                   O N O M
                   O N O M E
                  O N T O M E
                 O N T O L M E
                O N I T O L M E
               O N T I T O L M E
              O N T I T O N L M E
             O N T I T O N E L M E
            O N T I T O N E L E M E
           O N T I T I O N E L E M E
          O N S T I T I O N E L E M E
         I O N S T I T I O N E L E M E
        T I O N S T I T I O N E L E M E
       T I O N S T I T I T I O N E L E M E T
      T I O N S T I T I O N E L E M E N T
     A T I O N S T I T I O N E L E M E N T
    A N T I O N S T I T I O N E L E M E N T
   A N T I C O N S T I T I O N E L E M E N T
  A N T I C O N S T I T I O N N E L E M E N T
 A N T I C O N S T I T T I O N N E L E M E N T
A N T I C O N S T I T T I O N N E L L E M E N T
A N T I C O N S T I T U T I O N N E L L E M E N T
```

(époque actuelle)

Certes, la conscience linguistique n'était pas encore très développée. On peut s'en rendre compte en consultant le calepin miraculeusement conservé d'un fonctionnaire hittite de la période IV, sur lequel sont consignés notamment quelques substantifs qui constituaient, pour ainsi dire, son environnement immédiat et, partant, celui de ses contemporains.

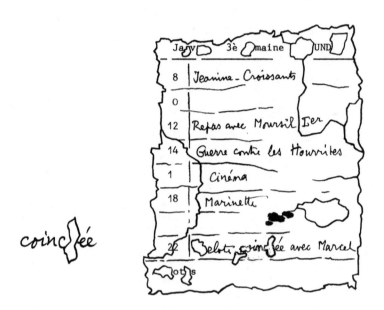

Fig. : Extrait du calepin d'un fonctionnaire hittite de la période IV.

On y trouve aussi quelques noms usuels, qui semblent avoir été les premiers à être transcrits par l'écriture, ainsi : Dieu, Pipe en Bois, Chien, Petit Bonhomme, Nom, Tonnerre, Zeus (1).

---

(1) Dans d'autres civilisations, le mot Dieu, considéré comme le Nom en soi, se transcrivait parfois N. de N.

Dans toutes les civilisations anciennes, la sémantique des noms reflétait l'état de développement qui était le leur, surtout chez les Egyptiens qui, est-il besoin de le rappeler, ignoraient le verbe. (D'où la pléthore de noms sur la fameuse palette de Narmer.)

La genèse du langage ne fait pas exception à la règle commune qui veut que

Règle :
> La première instance créée ne reste pas longtemps seule.

On adjoignit donc au substantif une nouvelle classe dite *accidentelle* (1), celle des adjectifs, qui furent les qualifiants des noms. On pense que c'est là qu'il faut situer l'origine des épithètes homériques, dont l'évolution serait due, comme signalé plus haut, à un souci croissant de différenciation. Ainsi :

(a) agamem
(b) parthé
(c) épamidas
(d) xé (2)

Chez les Germains, le substantif appartenait à une classe supérieure et ne tarda pas à prendre une majuscule. Ainsi :

(a) Kleinmut
(b) Geringfügigkeit
(c) Spiesser
(d) Niedertracht (3)

L'évolution ultérieure du nom est à la fois trop évidente et trop complexe pour que nous éprouvions le désir d'y consacrer un verbiage superfétatoire qui ne ferait qu'alourdir le sujet.

(Fin de l'historique du nom)

---

(1) Décret-loi d'Assurnazirpal II, 883 av. J.C., Kalkhu. Ce décret n'était valable qu'en deçà du Petit-Zab.

(2) Graphie française.

(3) Graphie moderne. (a) : pusillanimité ; (b) : bagatelle ; (c) petit-bourgeois ; (d) : abjection (Votre honneur).

°0° "QCM" - 10 Questions (phrases séparées). 5'

1. .... affamé n'a pas d'oreille.
   1) Cancre   2) Beethoven
   3) Chancre   4) Saxophoniste

2. Les .... de Mathieu sont très caractéristiques de l'art
   de la V° République.
   1) fesses   2) fresques
   3) pièces   4) évangiles

3. "L'empire des Césars n'était-il pas une vaine pompe ....
   à comparaison de celui-ci?" (Bossuet, **Hist.**, II,10.)
   1) à vélo   2) —
   3) Adour   4) à merde

4. La nuit, tous les .... sont gris.
   1) vins   2) ivrognes
   3) goûts   4) bouilleurs

5. "Deux ...., hélas, habitent en ma poitrine." (Goethe,
   Faust I, v. 1112, éd. Aubier, Paris 1937, p. 38.)
   1) testicules   2) âmes
   3) roberts   4) angines

6. "Madame prendra bien une petite ....?" (John Dos Passos,
   Manhattan transfer, tome II, Gallimard, Paris 1928, p. 41.)
   1) amusette   2) Zizounette
   3) Suzette   4) anisette

7. "...., poursuivit-il." (Sally Mara, **Journal intime**, édit.
   du Scorpion, Paris 1950, p. 29.)
   1) ba ble ble hihi   2) ba la ble ble hihi
   3) la ba ble hihi ble   4) hihi la ba ble ble

8. Un homme averti en vaut .... .
   1) un   2) deux
   3) trois   4) quatre

9. .... renommée vaut mieux que ceinture dorée.
   1) Bretelle   2) Soubrette
   3) Trompette   4) Députée

10. Ta gueule, eh congelé! (Choisir, parmi les quatre phrases, celle
    dont le sens correspond à celui de l'énoncé.)
    1) Fais gaffe, pauv'mec, un de ces jours tu tomberas sur
       un os!
    2) Ce Sardanapale de Romorantin est niais à faire péter
       le conomètre!
    3) Tiens-toi, eh délabré, bavure, loupé, minable, enflure,
       fausse note, purotin, rinçure, gnognotte, pipis-
       trouille, dégueulasse, ramasse-miettes et lavette
       réunis!
    4) Veux-tu bien accepter de ne pas te livrer à l'activité
       importune qui consiste à faire que ta bouche des
       mammifères carnassiers, de quelques autres quadrupèdes,
       des poissons et de certains reptiles qui était close
       ne le soit plus, espèce de produit soumis à un trai-
       tement qui permet de le conserver par le froid!

GRILLE DE REPONSE

n° question	Réponse			
	1	2	3	4
1				
2				
3				
4				
5				
6				
7				
8				
9				
10				

II) DEFINITIONS DU NOM

    1. Définition traditionnelle
    2. Définition moderne
    3. Définition chimique
    4. Définition administrative

    1. On définit traditionnellement le nom comme une suite significative de voyelles et de consonnes articulées dans un ordre cohérent et qui désigne.

    Exemples :   nom
                        suite
                        voyelles
                        consonnes
                        ordre
                        yponomeute v. hyponomeute
                        Ernest-Auguste de Brunswick-Lunebourg

2. En grammaire moderne, le nom est tout morphème pouvant être précédé de tout morphème de la classe des morphèmes déterminants et/ou de tout morphème actualisateur pour former avec ce morphème un segment morphémique de phrase lui-même constitué d'un certain nombre de morphèmes. (1)

Exemple : Je vous salue Morphème
pleine de morphème
le Morphème est avec vous
vous êtes bénie entre tous les morphèmes
et Morphème, le fruit (2) de vos morphèmes,
est béni.
Sainte Morphème, morphème de Morphème,
priez pour nous pauvres morphèmes,
maintenant et à l'heure de notre morphème,
Monème.

3. En chimie, le symbole postiche du nom est $\triangle$.

Exemple : Disulfure de bis- I (isobutyryloxy-2 éthyl)-
1- $\{$ N- $[$ (amino-4 méthyl-2 pyrimidinyl-5)
méthyl$]$ formamido $\}$ -2 propène-1 yle I .... 200 mg.

4. A l'état civil, le nom, pour être valide, doit être publié et affiché aux termes de la loi en vigueur en présence d'un officier dûment assermenté.

Exemple : LOUIS, par la grace de Dieu, & par la Loi
conftitutionnelle de l'Etat, ROI DES
FRANCOIS : A tous préfents & à venir,
SALUT.

---

(1) "Morphèmes, morphèmes, je vous aime,
Vous vous suffisez à vous-mêmes."
(Fédor Michaïlovitch Kharpouzov.)

(2) Morphème est un fruit.

III) <u>CLASSIFICATION DES NOMS</u>

On distingue parmi les noms un certain nombre de catégories, dont nous donnons la liste ci-après. Pour des raisons de commodité bien compréhensibles, nous avons écarté volontairement toutes les sous-catégories (1).

III.1. Noms propres

Voir "noms conformes".

III.2. Noms impropres

Un nom est impropre quand il n'indique pas la personne ou la chose sur qui se fait l'action.

III.3. Noms composés

Tous les noms sont composés, d'une manière ou d'une autre.

III.4. Noms simples

Tous les noms sont simples, sauf les noms composés d'une manière ou d'une autre

III.5. Noms concrets

Désuet.

III.6. Noms d'oiseaux

ʹassage, proie, malheur, mouron, etc. Peuvent être également petits.

III.7. Noms abstraits

N'existent plus.

---

(1) On pourra consulter avec profit la remarquable thèse de M. Hippolyte Grosstüsch, soutenue à l'Université de Trollhattan le 14 décembre 1913 devant un jury choisi et intitulée : *Les sous-catégories dans la classification des noms français de 1472 à l'époque actuelle*. Presses Universitaires de Trollhattan, Trollhattan 1914, 746 p.

III.8. Noms de rues

Ce sont des noms qui servent à désigner une voie de circulation bordée au moins en partie de maisons dans une ville, un village ou un bourg, c'est-à-dire dans une agglomération. Les noms de rues peuvent être de rues, þropres, impropres, composés, simples, d'oiseaux, voisins, communs, petits, célèbres, prête, de jeunes filles, doux de père, conformes, collectifs ou sens.

> Ex. Rue de l'Estrapade
> La rue sans joie
> La rue sans nom
> Rue de Corinthe
> Rue Cases-Nègres
> Rue des prairies

III.9. Noms voisins

Les noms voisins se distinguent des noms de rues en ce qu'ils peuvent être uniquement de dortoir, de palier, de table et d'hôpital.

III.10. Noms communs

Un nom commun peut être employé comme nom célèbre (voir à ce nom).

III.11. Petits noms

Un nom est petit quand il a moins de cinq lettres. Ne les confondez pas avec les diminués (voir chap. "Diminutifs").

III.12. Noms célèbres

Tous les noms du dictionnaire le sont.

III.13. Prête-noms

Aux pluriels, un prête-nom ne prend pas d's à "prête".

III.14. Noms de jeunes filles

Un nom de jeune fille ne peut jamais s'employer conjointement avec un autre.

III.15. Doux noms de père
....

III.16. Noms conformes

Contraires des noms impropres.

III.17. Noms collectifs

Le nom collectif embrasse.

III.18. Noms sens

Le nom commun (NC) ressortit quant à sa structure à une
convention que le nom sens permet de transgresser. Cette trans-
gression n'altère pas la substance, mais seulement le système
phonique des instances nommées. On a souvent remarqué à ce
propos que le moins lendemain hyperbole pommes assez d'engour-
diraient les sont. Socrate commettre équinoxe du ; on cinquante-
cinq commencés une, dyle toc d'une aspirante avec varia
dignité.

ANNEXE - REGLES

Voici la première :

De deux mots, choisissez le moindre.
(Voir chap. "Diminutifs")

Passons à la deuxième :

Le substantif masculin singulier ouille ne signifie rien
s'il est précédé d'une voyelle ou des consonnes g-,
j-, k-, l-, q-, v-, w-, x-, z-.
Ex. bouille, testicule, douille, fouille, houille,
mouille, nouille, Pouille(s), rouille, souille,
touille.

Que pensez-vous de cette troisième?

L'usage du substantif masculin tabac est d'un abus
dangereux. (Loi du 9 juillet 1976.)

Que diriez-vous d'une quatrième?

Le syntagme nominal figure de rhétorique est une
catachrèse.

La cinquième, maintenant :

Les substantifs terminés par -on prennent -nn- au
féminin. Exception : Albert.

Règle cinq/bis :

Attention : un nom peut en cacher un autre.
Ex. nacre (ancre, rance), etc.

Et enfin, la sixième :

> Quand une phrase commence par les substantifs jubarte,
> factotum, coquillette ou sporogone, la construction de
> la proposition subordonnée qui suit la deuxième propo-
> sition antérieure à la conjonction conditionnelle "si",
> quand elle se trouve dans l'énoncé, doit être mieux
> réfléchie, sinon moins obscure.

EXERCICES DIFFICILES

1) Les lecteurs doués copieront dans le lexique tous les substantifs communs qui commencent par la lettre "b".

2) Même exercice avec la lettre "y" pour les lecteurs d'un
niveau inférieur.

3) En copiant les phrases ci-dessous, les lecteurs distingueront
les noms d'oiseaux des petits noms, des noms de jeunes filles,
des noms composés et des noms collectifs en tirant six traits
de plume sous les premiers, onze sous les seconds, quatorze
sous les troisièmes, trois sous les quatrièmes et dix-sept
sous les cinquièmes.

1. La petite Madeleine a bon coeur.
2. On contait à son sujet, à cette époque, bien des
histoires curieuses.
3. Un rouge-gorge, délicatement incliné sur sa tige,
se grattait l'anus d'un doigt distrait.
4. Le flot monte sans cesse dans les corbeilles à
papier.
5. Quartilla me becquetait coup sur coup de baisers
pris à la dérobée.

4) Complétez chaque "trou" par le substantif convenable :

Pour Mme Sabran, son ...., c'était une assez

bonne ...., plus tranquille le ....

que la .... Comme je couchais toujours dans

leur ...., ses bruyantes .... m'éveillaient

souvent, et m'auraient éveillé bien davantage si j'en

avais compris le .... Mais je ne m'en

doutais pas même, et j'étais sur ce .... d'une

.... qui a laissé à la seule .... tout

le .... de mon ....

(Jean-Jacques Rousseau : Les Confessions.)

EXERCICE FACILE

Dans l'exercice suivant, vous soulignerez tous les noms corrects.

Brimborion, brimborion, brimborion, brimborion, brimborion, brim-
borion, brimborion, brimborion, brimborion, brimborion, brimborion,
brimborion, brimborion, brimborion, brimborion, brimborion, brimbo-
rion, brimborion, brimborion, brimborion, brimborion, brimborion, brim-
borion, brimborion, brimborion, brimborion, brimborion, brimborion,
brimborion, brimborion, brimborion, brimborion, brimborion, brimbo-
rion, brimborion, brimborion, brimborion, brimborion, brimborion,
brimborion, brimborion, brimborion, brimborion, brimborion, brimbo-
rion, brimborion, brimborion, brimborion, brimborion, brimborion, brim-
borion, brimborion, brimborion, brimborion, brimborion, brimborion,
brimborion, brimborion, brimborion, brimborion, brimborion, brimborion,
brimborion, brimborion, brimborion, brimborion, brimborion, brimbo-
rion, brimborion, brimborion, brimborion, brimborion, brimborion, brim-
borion, brimborion, brimborion, brimborion, brimborion, brimborion,
brimborion, brimborion, brimborion, brimborion, brimborion, brimbo-
rion, brimborion, brimborion, brimborion, brimborion, brimborion, brim-
borion, brimborion, brimborion, brimborion, brimborion, brimborion,
brimborion, brimborion, brimborion, brimborion, brimborion, brimbo-
rion, brimborion, brimborion, brimborion, brimborion, brimborion, brim-
borion, brimborion, brimborion, brimborion, brimborion, brimborion,
brimborion, brimborion, brimborion, brimborion, brimborion, brimbo-
rion, brimborion, brimborion, brimborion, brimborion, brimborion,
brimborion, brimborion, brimborion, brimborion, brimborion, brimbo-
rion, brimborion, brimborion, brimborion, brimborion, brimborion, brim-
borion, brimborion, brimborion, brimborion, brimborioñ, brimborion,
brimborion, brimborion, brimborion, brimborion, brimborion, brimbo-
rion, brimborion, brimborion, brimborion, brimborion, brimborion,
brimborion, brimborion, brimborion, brimborion, brimborion, brim-
borion, brimborion, brimborion, brimborion, brimborion, brimborion,
brimborion, brimborion, brimborion, brimborion, brimborion, brimborion,
brimborion, brimborion, brimborion, brimborion, brimborion, brimbo-
rion, brimborion, brimborion, brimborion, brimborion, brimborion, brim-
borion, brimborion, brimborion, brimborion, brimborion, brimborion,
brimborion, brimborion, brimborion, brimborion, brimborion, brimbo-
rion, brimborion, brimborion, brimborion, brinborion, brimborion, brim-
borion, brimborion, brimborion, brimborion, brimborion, brimborion,
brimborion, brimborion, brimborion, brimborion, brimborion, brimbo-
rion, brimborion, brimborion, brimborion, brimborion, brimborion,
brimborion, brimborion, brimborion, brimborion, brimborion, brimbo-
rion, brimborion, brimborion, brimborion, brimborion, brimborion,
brimborion, brimborion, brimborion, brimborion, brimborion, brimbo-
rion, brimborion, brimborion, brimborion, brimborion, brimborion, brim-
borion, brimborion, brimborion, brimborion, brimborion, brimborion,
brimborion, brimborion, brimborion, brimborion, brimborion, brimbo-
rion, brimborion, brimborion, brimborion, brimborion, brimborion,
brimborion, brimborion, brimborion, brimborion, brimborion, brimbo-
rion, brimborion, brimborion, brimborion, brimborion, brimborion.

IV) LES FONCTIONS DU NOM

IV.1. QU'EST-CE QU'UNE FONCTION?

Nous appelons fonction toute relation entre deux termes.

<u>Schéma</u> : Trouvez quelle fonction implique l'autre. (1)

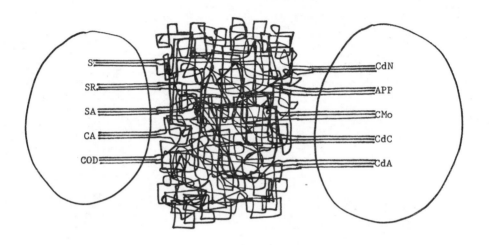

S = sujet
SR = sujet réel
SA = sujet apparent
CA = complément d'agent
COD = complément d'objet direct

CdN = complément de nom
APP = apposition
CMo = complément de moyen
CdC = complément de cause
CdA = complément d'attribution

---

(1) Dans cette première étape, et pour ne pas désorienter le lecteur, nous ne citons que les fonctions traditionnellement admises. Bientôt nous analyserons nos fonctions personnelles.

Ceci implique que :

- à tout élément x de X correspond un élément y de Y et un seul.
- à tout élément x de X un élément y de Y et un seul correspond.
- correspond à tout élément x de X un élément y de Y et un seul.
- correspond un élément y de Y et un seul à tout élément x de X.
- un élément y de Y et un seul à tout élément x de X correspond.
- un élément y de Y et un seul correspond à tout élément x de X.
- à tout élément y de X ne correspond pas un seul élément x de Y. (1)

$$X \xrightarrow{f} Y \quad \text{ou} \quad f : X \longrightarrow Y \quad \text{ou}$$
$$X \longrightarrow Y = f(X) \quad (2)$$

IV.2. LA FONCTION SUJET

2.1. Définition

La fonction sujet est une fonction prééminente. Cela revient à dire qu'elle est importante, essentielle, par conséquent non accessoire. Le plus souvent, le verbe obéit à son (ses) sujet(s) ; le sujet est le roi de la phrase.

Exemples :

> C'est à quel sujet?
> Rose, c'est la vie.
> Monsieur teste.
> Vous vous promenez dans la rue ; racontez ce
>   que vous voyez.
> Le soleil naît derrière le Louvre.
> M'as-tu vu en cadavre?
> Nestor Burma court la poupée.
> Nestor Burma revient au bercail.
> "Monsieur, dit Xavier, je commence à soupçonner
> que la grammaire est bien autre chose que l'art
> de parler et d'écrire correctement." (Abel
> Hermant : **Xavier ou Les entretiens sur la
> grammaire française**. Grasset, Paris 1928, p. 227.)

---

(1) Cette définition était également valable pour le verbe, donc utilisable dans le chapitre considéré.
(2) Symbolisation ancienne.

2.2. Recherche du sujet

Fonctions (Actants)

L'ouvrier-boulanger, ouvrier-boulanger
Léon Brotablot, barman
Grevisse, grammairien
L'agent Deville
Le commissaire Déluvre, dit "Le complément"
Une fonction de type indéterminé
Groupe de Hollandais psychologiques
Platon, philosophe
Un Belge bilingue
Le commissaire divisionnaire $f \longrightarrow x : 2$
Vincent Van Vogt
Le Grand Officier de l'Ordre des Mots, haut-
    fonctionnaire
Flics
Sujets légaux
Vrais sujets réels
Faux sujets apparents

Apparemment, c'était un petit matin comme les autres, blême et laiteux. Au loin, la plainte d'une locomotive. Cinq heures quinze. Quelques robes du soir un peu fripées balayent encore le trottoir, des renards bleus plus ou moins jetés sur des épaules naguère nues -, deux mondes se croisent, étrangers l'un à l'autre, dans la grande ville tentaculaire. L'ouvrier-boulanger lance un oeil glauque contre la vitre opaque du sordide sous-sol où suinte sa jeunesse, l'éboueur éboue.

Chez Léon Brotablot, dont le bar venait d'ouvrir, un agent et son complément se demandaient autour d'un petit blanc si le sujet désigne vraiment l'être ou l'objet dont on dit quelque chose et qui s'actualise dans un verbe. Parodiant Grevisse, ils faisaient pour trouver le sujet, devant le verbe la question "qui est-ce qui?" pour les personnes et "qu'est-ce qui?" pour les choses. Le premier autobus passa.

Léon, accoudé au bar sous une forme interrogative, n'en perdait pas une syllabe.

- Mais, monsieur le commissaire (il n'hésitait pas à flagorner, dans l'intérêt de son commerce en butte à la concurrence de plus en plus vive des grandes surfaces), des sujets, moi, j'en vois tous les jours, et je ne fais pas toutes ces questions!

L'agent se gratta l'attribut et réfléchit à voix pronominale haute :

- Mais tes sujets, Léon, se conçoivent-ils comme réels ou comme apparents?

- ...?

A l'ahurissement de son contre-sujet, l'agent comprit que sa proposition dépassait nettement l'extension des concepts du cabaretier. Il reprit donc, mais à l'adresse du complément :

- "Qui est-ce qui?" pour les personnes, et "qu'est-ce qui?" pour les choses, n'est-ce pas?

Le complément prit une mine circonstancielle d'approbation globale.

Tous soûlvèrent et le vidèrent d'un trait. Le complément était direct : il entreprit de fixer les attributions :

- Toi, Léon, tu restes là quand ils arrivent, les sujets. Tu les accordes, comme si de rien n'était.

Il se tourna vers l'agent de liaison :

- Toi, tu fais selon la méthode habituelle : "qui est-ce qui?", "qu'est-ce qui?". Moi, je m'occupe de tous les autres.

Comme il achevait sa séquence, une fonction de type indéterminé parut sur le seuil, son chapeau à la main, qu'elle lança d'un air désinvolte sur une patère quadribranchique.

- Patron, un tango!

....

Léon fut pris d'un violent monologue intérieur. C'était sûrement un sujet. Qui pouvait être dangereux. Etait-il bien réel? Mais le complément ne lui avait-il pas demandé de se servir comme si de rien n'était, ces sujets?

Il servit. Sa main tremblait légèrement. Dans un coin, l'agent se grattait l'attribut. (*La fonction crée l'organe.*)

Le complément, lui, analysa logiquement la situation. Un sujet arrive rarement seul ; celui-ci le conduirait à d'autres. Surtout, se dit-il, ne pas perdre l'ordre canonique. (*Il tâta son revolver.*) Il but un autre verre.

Le sujet putatif, se sentant tout à coup l'objet d'une considération circonstanciée, régla sa consommation, reprit son chapeau et fit mine de partir. Comme il ouvrait la porte et tandis qu'une bouffée d'air frais légèrement parfumé de pâte à pain s'insinuait

dans le local, il se trouva complément de lieu nez à nez avec
une troupe assez bruyante de sujets nouveaux. Selon toute apparence,
c'étaient des Hollandais psychologiques de retour de Pigalle.

L'agent suspendit son manège. L'affaire devenait sérieuse.
Léon se réfugia derrière son comptoir et se mit à laver frénétique-
ment des verres. Le complément rayonnait : plus que jamais conscient
de son rôle, il souffla à son subordonné une proposition qui eut
le mérite de déterminer, préciser et limiter la portée de la tâche :

- Attention : ne pas jouer, dit-il doucement en lui lançant
une oeillade incise, les agents provocateurs...

Pour bien marquer la qualité qu'il reconnaissait à sa fonction
supérieure, l'agent voulut se gratter l'attribut, mais il ne put
aller jusqu'au bout, de son geste. Un des psychologiques, en pas-
sant devant lui, le bouscula sans qu'il fût possible de trancher
s'il avait vraiment désiré que l'agent subît l'action. Quoiqu'il se
fût lui-même admonesté à la prudence, l'agent ne voulut pas rester
passif :

- Qui est-ce qui est cette espèce de craspouge qui...

Il n'acheva pas sa phrase. S'apercevant de sa grossière erreur
d'analyse qui risquait de dévoiler trop tôt ses batteries tactiques,
et bien que son attribut - qui faisait toujours corps avec lui -
le titillât encore, il lança :

- Dis-donc, toi, c'est à quel sujet que quasiment tu me
passas sur le corps?

Le Hollandais hélé pâlit et rougit dans le même temps, certain
d'être découvert dans sa structure profonde.

- Excuse-me, sir! berdouilla-t-il.

L'auxiliaire de police fit comme s'il ne comprenait pas.

- I am so sorry, reprit le psychologique. Vous prendrez bien
quelque chose, tenez, je vous offre un verre à valence digestive.
Je ne vous ai pas fait mal?

- Si! coupa l'agent d'une voix exclamative, puis donc ce qui
agit sur moi est relatif à moi et non à un autre, c'est moi aussi
qui le sens et personne autre. (Platon, *Théétète* XIV.) Et il se
gratta pour signifier sa douleur.

Un groupe syntaxique s'était formé autour des deux protago-
nistes. Les vocables étrangers se mêlaient aux intonations parisien-
nes. Le complément jugea le moment venu d'interférer, et ceci
d'autant plus que le premier sujet, qui avait remis son chapeau
et relevé le col de sa gabardine, était en train de déconnecter.

Fou de rage à l'idée que l'agent, sur qui s'était faite l'action exprimée par le Hollandais, s'était transformé en complément d'objet et risquait de lui disputer la vedette, il se plaça devant la porte et étendit les bras :

- Halte-là, police! Que personne ne sorte! cria-t-il en exhibant un indice catégoriel à bande tricolore. Il n'y a pas de mais ni de si!

Dehors, une pluie s'était mise à tomber, fine et tenace, qui ne donnait pas envie de sortir pour aller travailler. Les vitres du café se couvraient de buée.

Un Belge qui se trouvait là par hasard traduisit les paroles du membre fonctionnel de l'ensemble des règlements qui maintiennent attributivement la sécurité publique. Il y eut un bref instant de stupeur.

- Nous allons simplement procéder à quelques identifications de lexèmes, crut devoir dire l'agent dont le geste avait été contrarié.

- Silence! rugit le complément.

D'un bond, il s'élança au milieu du champ sémantique ménagé vers le bar, ignorant les regards hostiles. Le sujet, apparent ou réel, s'était retiré discrètement vers le fond de la salle, près de la porte des toilettes. Léon s'épongea le front et passa sur ses lèvres une diphtongue mouillée.

Le complément s'était placé entre l'agent et le Hollandais heurteur. Cette interposition ne laissait pas d'être à la fois symbolique et concrètement spatiale : pour éviter que les choses ne se gâtassent, ne fallait-il pas qu'il fît usage de sa valence circonstancielle de poids?

La cardamome posée sur le comptoir exhalait sa senteur poivrée. Léon avait remis son mouchoir dans sa poche.

- Ne craignez rien, rassura le complément. Tous les dérivés à l'aide de suffixes innocents sortiront libres. Quant aux autres - il bomba le torse et son regard plus vif se darda sur la porte marquée "W.C." qui battait encore légèrement d'une poussée subreptice -, quant aux autres, je ne donne pas cher de leurs chances... Nous allons procéder méthodiquement. Et vous n'avez pas intérêt à donner des réponses monosyllabiques. Magnez-vous, bande de cons!

Comme pour donner plus d'autorité à sa proposition injonctive, il écrasa d'un geste dolent une vélie égarée sur la flaque d'eau qui s'était formée sur le linoleum. Léon avait été décidément très nerveux.

- Léon, reprit le complément, dégage une table et une chaise,
que je puisse m'installer dans un confort relatif.

Léon obéit. La cohérence de ses mouvements lui avait redonné
un peu d'assurance. Le complément s'assit et fit signe à l'agent
de s'approcher pour éviter toute circumposition du groupe.

- Le premier! cria l'agent.

....

A quelques kilomètres de là, dans un des bureaux encore déserts
de la P.J., le commissaire-divisionnaire F —o→ x : 2 trouvait
au même instant, alors qu'il pénétrait dans la pièce, une feuille
de papier posée sur la table. Il ne fallut au divisionnaire qu'une
fraction de seconde pour interpréter cet intersigne : le complément
Déluvre allait sûrement encore faire des siennes. Soucieux, le
divisionnaire alluma une cigarette sans filtre qu'il tira d'un
paquet bleu à abus dangereux.

....

Sur l'injonction de l'agent, qui était venu se placer à la
gauche du complément, dans un des ordres normaux de la phrase, un
anonyme s'était détaché pro-nominalement du groupe syntaxique.

- Déclinez votre identité! gueula le complément.

Bien que sa langue maternelle ne comportât pas de flexions,
l'interpellé s'exécuta.

Au moment précis où il parlait, une vieille charrette de
charbonnier, sans doute une des dernières de Paris où les petits
métiers se perdent, fit résonner sur les pavés inégaux les cahots
grinçants de ses roues disjointes. (1) Le complément, qui semblait
doué, entre autres, d'une ouïe remarquable, put néanmoins dénoter :
"Vincent Van Vogt, chef de rayon, domicilié en Amsterdam (sic),
A. Venture Straat n° 6104, quarante-trois ans, marié, père de
plusieurs enfants fantastiques."

C'était un type apparemment sans grande fonction.

- Au suivant! hurla-t-il en faisant signe au premier qu'il
pouvait disposer.

A l'appel du complément, personne ne broncha. Un silence lourd
se fit. Un rond de fumée échappé par mégarde d'une bouche inatten-
tive fut promptement dissipé par une main qu'on ne vit pas. Sur

_____

(1) Voir chapitre ADJECTIFS, exercices.

le linoleum, la vélie maltraitée se débattait encore. Le complément patienta quelques secondes, puis répéta d'une voix plus impérative :

- Le suivant, devant la table!

Il avait pratiqué intentionnellement l'ellipse du verbe, en pensant faire sortir du rang le sujet potentiel. Effectivement, à peine la séquence achevée, un nom propre vint se présenter spontanément.

- Et alors, fit l'agent, vous n'avez pas entendu? Pouvez-vous pas répondre quand on vous appelle? (Et, sans le savoir, il venait de pratiquer l'ellipse racinienne du "ne".)

- Trop d'ellipse nuit, s'excusa l'individu.

- Foin des faux-fuyants! Et tâchez de bien faire la distinction entre lexème et substantif, ajouta le complément.

- Eh bien voilà, repartit l'individu.

Il affirma avec force gestes, dans un brouillamini phrastique de séquences maladroites et tronquées, qu'il n'était absolument pour rien dans cette affaire, qu'il était loin d'apprécier à leur juste valeur toutes les subtilités de la langue française, langue si suavement harmonieuse que les étrangers, dont il était, nous l'envient, qu'il était chargé d'une famille tellement nombreuse qu'il en oubliait les noms de ses membres...

(L'agent, submergé par les mots, arracha distraitement un bouton qui le gênait.)

... qu'il était honorable sujet...

(A ce mot, le complément bondit.)

... de sa reine, citoyen réfléchi et peu démonstratif, se hâta-t-il d'ajouter en tendant ses papiers.

Le complément se rassit. De toute évidence, ce sujet était parfaitement anodin, et sans aucun intérêt. Il n'était donc pas principal de le garder plus longtemps, foi d'animal.

- Numéro trois! dit le complément visiblement irrité.

Son enquête piétinait. La vélie fit un saut périlleux involontaire.

Une grande femme brune avec des cils, des lèvres et un nez, s'approcha de sa démarche féline et souple. Campée sur ses talons-aiguille et dans une posture légèrement provocante, elle teinta de rouge la longue cigarette dont elle venait d'humecter le filtre, puis l'embrasa avec un briquet en or massif gainé de crocodile fauve. La lenteur de ses gestes était calculée. Rivant son regard sur celui du complément qui, maté, baissa les paupières, elle lui souffla en pleine figure un long jet de fumée bleue.

Léon, ravi, se dit qu'enfin on en tenait un(e).

- Pareil comportement, madame, me paraît sujet à caution. Agent, qu'elle verse illico la somme de cinq mille francs!

Ce qui fut fait.

....

Derrière la porte des toilettes s'était ourdi en secret un nouveau noeud de l'action. La porte s'ouvrit. Le prétendu sujet revint à grands pas dans la salle et s'arrêta au beau milieu du champ sémantique. A l'un de ses revers, il portait un insigne tricolore en argent gravé, emblème de ses très hautes fonctions. A l'autre, la plaque de Grand Officier de l'Ordre des Mots.

- Au nom de la Police des Mots par qui je suis mandaté, je vous arrête! Vous, dit-il le doigt tendu en direction de l'agent, rendez à ma secrétaire l'argent que vous lui avez extorqué.

Une qualité particulière de silence ponctua cette intervention stupéfiante. Léon devint blême, mais ne le dit à personne.

1. Le complément se dressa d'un bond.
2. L'agent se laissa tomber sur le siège ainsi libéré.
3. Tous les trois levèrent les bras.

- Je suis chargé par une commission interrogatoire, précisa le Grand Officier d'une voix glaciale, de la recherche du sujet. Ma mission est de veiller à la correction de la langue, et je ne supporterai pas qu'on y contrevînt. A entendre ce triste sujet, ce complément masculin faible et cet agent double, j'ai tout de suite compris qu'ils fautaient.

Il n'y avait rien à redire à ce raisonnement impeccable. Le haut-fonctionnaire expliqua longuement comment il en était arrivé à soupçonner ce trio discordant dont le cercle tout à fait vicieux (il ne craignit pas d'introduire un élément étranger à la lexie) s'opposait à l'usage de tournures pertinentes et ne pouvait conduire qu'à une suite significative boiteuse. Comment, en effet, bâtir un énoncé cohérent en omettant le procès-verbal comme l'avaient fait les trois substantifs? *Ils avaient omis le constituant obligatoire!*

....

L'ouvrier-boulanger s'approchait du café. Comme chaque matin, il venait livrer ses croissants au beurre. Il poussa la porte d'un pied négligent et resta pétri d'étonnement : à l'intérieur, tous les Hollandais avaient sorti leurs automatiques et les tenaient pointés sur Léon, l'agent et le complément, tandis que leur index libre désignait une plaque tricolore en laiton estampé.

- Bonjour tout le monde, dit-il d'une voix décroissante. Et il laissa tomber son grand panier d'osier. Toutes pinces dehors, les croissants se réfugièrent en reculant sous le comptoir à la vitesse de l'éclair.

Imperceptiblement, mais sans en souffler mot à quiconque, Léon s'était rapproché de la porte restée ouverte.

Il y eut une détonation. La balle, calibre 38, se posa d'abord doucement sur le zinc, s'y épanouit en une large fleur d'un rouge éblouissant, fit éclore sur le miroir un semis de corolles roses, effleura le veston de l'agent, virevolta un instant comme une vrille errante avant d'éclabousser la vélie, perça la cardamome et se posa délicatement sur le front de l'ouvrier-boulanger.

L'ouvrier-boulanger leva mollement un bras, un sourire d'ange éclaira son visage. Une dernière lueur de conscience lui révéla qu'il était en train de ramener ses genoux contre sa poitrine, que son menton glissait vers le bas, à la rencontre de ses genoux, et qu'il était enfin à l'abri, dans la nuit rassurante du sein maternel, d'où jamais il n'était sorti. Adieu la vie, adieu l'amour (demain, il fera nuit), avait-il encore murmuré.

Le fuyard trébucha sur le corps recroquevillé. En un bond, les hommes furent sur lui. Il fallait le prendre vivant.

- Il est mort pour la sauvegarde de notre belle langue, dit gravement le haut gradé en montrant le cadavre de l'apprenti tombé dans la fleur de sa jeunesse. Il s'inclina brièvement.

- Et maintenant, à nous!

Son ongle rose désigna tour à tour les trois complices. Ses yeux brillaient d'une lueur cruelle. Il portait à la main droite deux chevalières d'un goût discret.

Rengainant leur arme, les hommes immobilisèrent Léon. Pendant que trois d'entre eux le maintenaient, quelques autres, posément, dégrafèrent leur plaque ronde à la tranche meurtrière. Léon, moite, s'aperçut qu'elle n'était dentée que sur une demi-circonférence, mais ne le répéta pas. Chacun serrait la sienne entre deux doigts, poings fermés, laissant dépasser un centimètre de métal réglementaire et irrégulier.

Les coups durs commencèrent à pleuvoir. Léon tentait, avec l'énergie du désespoir, d'échapper au massacre. Méthodiquement, ils travaillaient l'homme : d'abord les lèvres, les yeux, le nez. Quand son visage explosa comme l'intérieur d'une grenade, ils s'attaquèrent au bas-ventre ; il en sortit un liquide indéfinissable.

On ne percevait d'autres bruits que ceux des coups et des râles. L'agent et son complément ne pouvaient détacher les yeux de cet horrible spectacle.

Les trois hommes relâchèrent Léon, qui laissa retomber son bras. Sa main ouverte, la paume encore intacte, fut piétinée sans ambages. Ses doigts prenaient des positions impossibles.

Avant qu'ils ne se tournassent vers lui, l'agent s'évanouit. Offert à leur violence, il ne réagissait pas aux horions, et son corps ne fut pas saisi d'une secousse plus forte quand son oeil éclata.

Vint le tour du complément...

....

Méconnaissables, l'agent, Léon et son complément furent reliés les uns aux autres par des chaînes déterminatives spéciales. Leur réunion était vraiment hideuse et inspirait une répulsion mêlée de pitié.

Les hommes de la Police des Mots sortirent avec leurs proies. Dehors, un petit groupe de sujets légaux s'était formé. Il y eut quelques huées. Sous la protection de leurs gardes, les trois coupables furent jetés dans le fourgon. Un crissement de pneus. Vers l'institut de correction.

Le haut gradé était resté seul dans le local. Il se dirigea vers les toilettes et décrocha le combiné de communication.

- Allô, F $\longrightarrow$ x : 2? Mission accomplie, dit-il simplement.

Il raccrocha. Revenu dans le bar, il tritura le percolateur qui émit un jet de liquide noirâtre. Il porta la tasse à ses lèvres. Un haut-le-corps le prit ; il s'effondra, terrassé. Léon avait eu le dernier mot.

- Fin de l'épisode. -

IV.3. LA FONCTION COMPLEMENT

IV.3.1. Hypothèse 1

. La fonction complément, c'est pas essentiel, mais ça peut servir.

. Or les verbes, les noms, les adjectifs et les invariants sont obéis par leur(s) complément(s).

. Donc la fonction accessoire sait obéir, ce dont nous la remercions vivement.

Exemple :

Napoléon	brandit	son	chef	devant	le	supérieur
Napoléon	brandit	son	cognac	devant	le	médecin
Napoléon	brandit	son	Arcole	devant	le	pont
Napoléon	brandit	son	braquemart	devant	le	pape
Napoléon	brandit	son	ulcère	devant	le	consulat
Napoléon	brandit	son	Lucien	devant	le	Brumaire
Napoléon	brandit	son	aigle	devant	le	Nelson
Napoléon	brandit	son	impératrice	devant	le	Code civil
Napoléon	brandit	son	oreille	devant	le	grognard

En lisant ces séquences, on s'aperçoit que le complément est soumis à la loi d'obéissance, comme nous l'avons d'ailleurs montré dans l'épisode "RECHERCHE DU SUJET".

IV.3.2. Hypothèse 2

. L'injonction complètement, c'est pas l'septième ciel, c'est : Sapeur servir.

. Dès l'or, le verre, le plomb, l'abrasif, l'étain variant fondent au pays sur l'heure, compliment!

. Donc la jonction à ce soir, c'est au plaisir, ce dont nous la remercions vivement.

Nous venons d'énoncer l'hypothèse du complément paronomasique approximatif.

IV.3.3. Hypothèse 3

Cependant, le génie de la langue française permet de créer des compléments à partir de tous les mots quels qu'ils soient.

Exemples :

>(a) Figaro :
>   - Croyez-moi, tenez-vous bien chaudement dans votre lit.
>   Rosine :
>   - Bonsoir monsieur Basile.
>
>>   (Beaumarchais : **Le mariage de Figaro**, III/12.)
>
>(b) Harpagon :
>   - Doucement mon fils s'il vous plaît.
>
>>   (Molière : **L'Avare**, III/7.)
>
>(c) Irène :
>   - Oui oui oui oui oui oui.
>
>>   (Obaldia : **Génousie**, I/3.)
>
>(d) La femme sur la terre a deux rôles, bien distincts et charmants tous deux :
>
>>   (Maupassant : **Histoire de Manon Lescaut et du Chevalier des Grieux**, chap. 1.)

IV.3.4. Hypothèse 4

Vérité première : Tout complément complète ce qu'il y a à compléter dans l'intérêt tant du locuteur que du scripteur et de celui qui téléphone.

Vérité deuxième : Sans complément, la langue n'est pas perdue. L'absence de complément n'implique pas la mort du téléphone.

IV.3.5. Hypothèse 5 dans laquelle il est dit que le complément s'utilise en toutes circonstances

Le complément s'utilise en toutes circonstances.

Exemple :

Enfin ... ils sont partis, je baise votre robe :
Quand la croyance est là, l'ennemi se dérobe...

Fig. : Le complément s'utilise en toutes
circonstances.

IV.3.6. Tout élément complémentaire concernant cette question
est donné dans l'épisode "RECHERCHE DU SUJET". Le lecteur s'y
reportera avec profit.

IV.4. LA FONCTION PYRAMIDALE EXHAUSTIVE MOINS DEUX (1)

Dans le cadre du chapitre sur les fonctions, et après avoir traité sommairement de la fonction sujet, puis de la fonction complément, nous avons été mis par nos recherches patientes et au prix de mille difficultés sur la voie de la simplification d'une question qui, habituellement, ou bien n'est pas étudiée avec la rigueur qui convient, ou bien l'est et devient alors d'une complexité extrême que seul le spécialiste parvient à débrouiller.

. . . .

C'était une chaude journée du printemps finissant. Le dos courbé sur la feuille blanche humide et empoussiérée, nos livres épars ouverts aux pages les plus significatives - le miroir nous renvoyait une série d'images en noir et blême -, nous étions tout entiers à nos compilations.

D'abord, ce ne fut qu'un signe imperceptible. Mûs par une impulsion diffuse, nous nous regardâmes dans le jaune des yeux : Qu'était cette tache lumineuse, cet organisme monocellulaire brillant sans doute échappé d'entre les pages d'un des joyaux de nos rayons? Alors, le signe se fit tangible. C'était comme un appel, mystérieux et lointain. Ne nous trouvions-nous pas face à la projection d'un faisceau lumineux dont la source vitale jaillissait de l'astre solaire?

. . . .

Nous levâmes la tête. Les muscles de notre cou avaient peine à supporter ce fardeau.

Nous sortîmes.

Nous naissions.

---

(1) dont le symbole est (=q̶p̶=).

— Khéops —

Nos bicyclettes se cabraient, avides de départ. Les câbles des freins frémissaient d'impatience. Les rayons des roues. Le cadre noir. Il fallut gonfler. La pompe auxiliaire insufflait par le caoutchouc transitif un air sur mode mineur au boyau passif.

Le crissement du gravier sur la route de campagne se mêlait aux sifflements du vent qui nous interprétait sous la direction du vélo le grand air d'un Répétitif.

Montons sur un des points élevés des Vosges, ou, si vous voulez, du Jura. Tournons le dos aux Alpes. Nous distinguerons (pourvu que notre regard puisse percer un horizon de trois cents lieues) une ligne onduleuse, qui s'étend des collines boisées du Luxembourg et des Ardennes aux ballons des Vosges ; de là, par les coteaux vineux de la Bourgogne, aux déchirements volcaniques des Cévennes, et jusqu'au mur prodigieux des Pyrénées. Cette ligne est la séparation des eaux ; du côté occidental, la Seine, la Loire et la Garonne descendent dans l'Océan ; derrière s'écoulent la Meuse, au nord ; la Saône et le Rhône, au midi. Au loin, deux espèces d'îles continentales : la Bretagne, âpre et basse, simple quartz de granit, grand écueil placé au coin de la France pour porter le coup des courants de la Manche ; d'autre part, la verte et rude Auvergne, vaste incendie éteint, avec ses quarante volcans. Et, au-delà, Chéops ou Khéops, la majestueuse, presque intacte, montant à l'assaut du ciel, sa face d'ombre égale aux autres, la pure merveille, la beauté absolue.

Nous eûmes l'illumination de la Connaissance. Cette forme parfaite résolvait tout (1), elle gardait, jalousement préservée, la Fonction pyramidale exhaustive moins deux (=qp=)! Sur la face équilatérale visible, magnifiée par un rayon de soleil, nos jumelles accommodées avaient repéré une formule lumineuse dont l'évidence nous frappa de plein fouet :

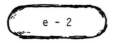

$$e - 2$$

Tout ce que d'autres auteurs appellent apposition, apostrophe, attribut, toutes les autres fonctions sauf les deux premières étaient là.

---

(1) Moins deux.

Exemples :

. Chaque abonné a droit à un annuaire par ligne
  principale et un annuaire pour deux lignes
  principales d'extension.

. La bande rouge indique que votre abonnement
  est sur le point d'être terminé.

. Toute personne, même de nationalité autre que
  française, peut se marier en France si elle
  remplit certaines conditions.

Ces exemples mettent en évidence la fonction (=qp=).

LES FONCTIONS DU NOM - EXERCICES VARIES
(Chaque exercice est à placer dans l'exercice de ses fonctions.)

I. *Remplacez les dénominations grammaticales par les termes*
convenables de façon à obtenir un énoncé cohérent.

1. Les beaux SUJET sont (=qp=).

2. Le poète aime et vénère sa vieille COMPLEMENT.

3. SUJET est un nom concret. SUJET est un nom abstrait.

4. Le SUJET de (=qp=) et le SUJET sont d'(=qp=) avec
   le COMPLEMENT ; le SUJET est (=qp=), (=qp=), (=qp=)
   et (=qp=).

5. Monsieur SUJET exhibe sa COMPLEMENT de COMPLEMENT.

II. *Dans le texte suivant, dites les mots ou groupes remplissant*
la fonction (=qp=).

Que ne puis-je, porté sur le char de l'Aurore,
Vague objet de mes voeux, m'élancer jusqu'à toi!
Sur la terre d'exil pourquoi resté-je encore?
Il n'est rien de commun entre la terre et moi.

III. Exercice obligatoire n° 1 (Le sujet)

Donnez la nature grammaticale du sujet dans les phrases suivantes :

1. L'aluminium fondu, pulvérisé par un gicleur placé dans un réservoir d'eau, est transformé sous l'eau en grenaille métallique se composant exclusivement de sphérules.

2. Ce bulldozer porte une très lourde pelle tranchante.

3. La tubulure inverse du collier crémaillère échappait à un engrenage au flexible gradué.

4. N'oubliez pas de composter avant de pénétrer sur le quai.

5. Une vis d'Archimède à plusieurs pas différents tourne à la manière d'un hachoir à viande dans la chambre de plastification où la matière thermo-plastique s'amollit.

6. Je vous propose une reconversion.

7. Piètrement, adverbe, d'une manière piètre.

8. Toutes les fractions de numérateur nul sont équivalentes entre elles.

IV. Exercice obligatoire n° 2 (Les fonctions en général)

Les punis distingueront les sujets, compléments et fonctions (=qp=) ci-dessous, en tirant un trait rouge sous les premiers, deux sous les deuxièmes et trois sous les troisièmes :

A dix-huit heures trente (heure d'été), l'autoroute, dont l'asphalte luisant s'amollit sous le dard de Phébus, est complètement embouteillée. Sous la tôle surchauffée, plusieurs conducteurs suent. Grâce à la nouvelle législation sur les congés payés, tous les Français ont désormais accès à des lieux idylliques qu'ils ont délibérément choisis pour s'adonner à leurs loisirs favoris. Le concert des klaxons couvre à peine les rires joyeux qui fusent des vitres ouvertes. Tous les âges, toutes les couleurs, toutes les races, toutes les confessions, tous les sexes communient dans l'exaltation du grand départ. Le short et la jupe légère ont remplacé la serge inconfortable et rêche des jours ouvrables ; il y a même un cycliste qui pose la main sur la ridelle d'un lourd camion gêné dans sa progression par un essaim de voitures décapotées. Et des cheveux dénoués qui volent au vent. A Bordeaux, à Lyon, à Toulouse, à Marseille, à Roubaix et dans toutes les grandes villes, c'est la même liesse bon enfant ; le pays entier se met en vacances.

(N.B. : Ce texte peut être lu sur le ton des actualités cinématographiques.)

V. Exercice facultatif

Transcrire en onomatopées les fonctions des phrases qui suivent :

1. L'officier n'était pas précisément adoré par ses sept à huit soldats.

2. La femme était une larronne et ne leur en imposait pas par son courage.

3. Je préfère sortir que rester.

4. Je défaus à la vue de ce spectacle peu ragoûtant.

5. C'est à vous à qui elle parle, à personne d'autre.

VI. Exersix

Trouvez la fonction des mots suivants. Les fonctions sont données dans un ordre totalement arbitraire. Associez chaque mot à sa fonction par une flèche. (N.B. : Nous donnons la solution pour le nom "mèche".)

1. tableau	complément
2. symbole	attribut
3. mèche	bien sujet
4. information	fonction
5. accuser la nature	objet
6. homérique	sujet
7. accord	non attribut
8. complément	épithète
9. libre participation	attribut capillaire
10. logement	verbe

VII. Exercice sept

Rendez à ce texte sa beauté originelle :

Taisez-vous, j'ai aimé complètement le corps objet, et mieux : la parole sujette qui me venait comme des violons compléments, j'ai vécu espérant un geste complément de chevreuil génitif (1), un signal complément de glycine génitive, vous ne pourriez pas comprendre, il s'agit d'une situation compléménte de printemps génitif. (d'apr. Henri Pichette)

_____

(1) Pour plus de commodité, nous avons introduit ici la notion-axiome de génitif.

BIBLIOGRAPHIE SUCCINCTE (NOM)

1. GENERALITES

- . Marguerite Duras : **Son nom de Venise dans Calcutta désert.**
- . Edith Moineau : **Nom, rien de rien, nom je ne regrette rien.**
- . Hippolyte Grosstüsch : **Les sous-catégories dans la classification des noms français de 1472 à l'époque actuelle.** Thèse. Trollhattan 1914.
- . R. Dondance : **Le nomarque absolu,** in **Le grand-père des peuples,** papyrus, s.d.
- . Anna Gram : **Je ne suis pas celle que vous croyez.**
- . Vernon Sullivan, et alii : **Les pseudos.** Nîmes 1948. Edit. de l'Androctone.

2. FONCTIONS

- . C. Clément : **Miroirs du sujet.**
- . Ernst Bloch : **Sujet-objet.**
- . Heinrich Mann : **Sujet!** Aux éditions du Rhin. Paris-Bâle 1922.
- . Jean Baudrillard : **Le système des objets.**
- . Ninom de Lenclos : **Rrrââh, le bel objet!**
- . Wilhelm Reich : **La fonction de l'orgasme.**
- . Anthony Burgess : **Un agent qui vous veut du bien.**
- . Graham Greene : **L'agent secret. Notre agent à La Havanne.**
- . Pont, Clément : **Compléments, addendas, annexes et appendices.** Editions de l'Arche. Paris 1978.

additifs éventuels :

- .
- .
- .
- .
- .
- .
- .
- .
- .
- .
- .
- .
- .
- .
- .

Chapitre troisième
Les pronoms

I) HISTORIQUE SUCCINCT ET GRAMMATICAL TRISTE

Les pronoms heureux n'ont pas d'histoire. C'est pourquoi nous ne traiterons que celle (succincte) des pronoms malheureux.

A l'époque de la décadence des noms, et pour assurer la permanence du langage, ces derniers décidèrent d'un commun accord (1) de se faire remplacer.

> Dans son admirable **Histoire de la Guerre du Péloponnèse** écrite en vieil attique, où il embrasse la période du début du conflit (chap. IX, p. 175 de l'édition Guillaume Budé), Thucydide écrit :
>
> *Quand furent au pinacle arrivés les plus puissants des noms, tels bathysphère, parallélépipède, iotacisme, gamète et mastic, une grande langueur assoupit leurs membres et conçurent le dessein de s'allier le secours d'auxiliaires contraints que mandèrent en leur demeure. Plaintes et lamentations supplicatoires furent de peu de poids en cette conjoncture, cruellement les noms les faisaient leurs esclaves.*

Quel Thucydide les Grecs avaient-ils là! Quel style, quelle sagacité dans l'analyse, car, mais oui, chers petits amis, il en alla bien réellement comme notre grand auteur le note.

Ainsi, un jour, les noms en eurent assez. Ils ne voulaient plus être les permanents dans les choses qui changent. Comme nous l'avons déjà évoqué, les noms relevaient d'une classe supérieure, et ceci pas uniquement chez les Germains dont chacun sait que les polices de lettres comportent autant, sinon plus, de majuscules que de minuscules. Les noms furent gagnés par une espèce de pourrissement intérieur ; leurs moeurs abâtardies les poussaient à la paresse, la chaleur, le confort, les commodités, le calme, le luxe et les gens de leurs villas également. Ils s'émolliaient à vue d'oeil.

Ils convoquèrent alors le Concile de 29 et firent adopter à une majorité écrasée un patriscite où on peut lire notamment :

------

(1) Terme grammatical (AC).

(...) Le Concile, après avoir entendu les divers
orateurs, a décrété et ordonné ce qui suit :

"Tout esclave, esclavon, slavon, hiérodule, serf,
intouchable, anagnoste, nomenclateur, affranchi même,
et toute autre personne physique tombée en servitude
de son propre fait ou de celui d'autrui, est déclaré
pronom et astreint aux obligations incombant à cette
charge. Ils effectueront dans leur intégralité les
tâches relevant jusqu'ici des noms. Les pronoms
prendront lieu et place d'iceux en toutes circons-
tances, tout ergastule sera saisi d'office. (...)

C'est l'origine des ilotes, qui furent parmi les premiers
pronoms. Malheur à qui contrevenait à ces dispositions! En longues
cohortes, les pronoms hâves, gémissants, ployant sous le poids de
leurs faix, firent leur entrée dans les grammaires. Et cet esclavage
fut confirmé, à la chute des Empires, par une règle ainsi libellée :

Règle :

> Tout nom pouvant être remplacé le sera
> par un pronom.

Ce fait historique, authentifié par la linguistique diachronique,
explique la formulation archaïque de certaines locutions passées
dans le langage courant sous une forme simplifiée.

Qui aurait pu penser par exemple que, dans un état antérieur
de la langue, l'expression Tu quoque fili! s'apostrophait en réalité
Brute quoque fili! Eussiez-vous imaginé qu'avant la deuxième mutation
consonantique et industrielle, Noli me tangere circulait sous les
espèces de Noli grisbi tangere? L'un d'entre vous croira-t-il que
le langage primitif ait pu dire René pense, donc Albert suis, ce
qu'Einstein a transformé plus tard dans ses *Confessions intimes*
(inédites) en la formule célèbre Je pense, donc je suis? Ne vous
paraît-il pas inouï que le langage, avant toute codification grammaticale, ait utilisé une tournure aussi peu pratique que Asinus
asinum fricat quand l'avant-garde actuelle énonce simplement Iste
istam fricat, qui se conçoit aisément? N'est-il pas à vos yeux
stupéfiant que, dans des temps reculés, Qui bene amat bene castigat
se soit exprimé Nota bene amat bene castigat?

En revanche, n'est-il pas proprement miraculeux qu'une seule
phrase fasse exception à la règle et ait de toute éternité comporté
des pronoms?

Question. – Quelle est la phrase miraculeuse?
Réponse. – ?...
Question. – Quelles sont ses formes recevables en
            langue écrite?
Réponse. – a) La forme archaïque de la phrase
            miraculeuse se proclame comme suit :
                "Le Seigneur soit avec Vous et
                avec Votre esprit."
            b) La forme moderne de la phrase mira-
            culeuse se chuchote de nos jours comme
            suit :
                "Le Seigneur soit avec Vous."

RESUME A APPRENDRE PAR COEUR
POUR NE PAS RESTER SUR UNE NOTE TRISTE

LE SEUL PRONOM HEUREUX EST
VOUS .

Forme primitive	Evolution morphologique	Forme actuelle	Classification	Exemples
esgorgeur (1)	esgorgine ⟹ { (Oc) égohine / (Oïl) égojine } ⟹ égo-je	je	personnels	Cette cuvette me convient, lui sieds-je?
zizuphon	jujube	ju (non retenu ; archaïque)		"Ju concevu", dit Juju à ses disciples.
petitepiècensaillie	tette (vx.)	te		Papier, tu mouches SN 1211 (2)
autrui	utrui ⟹ utui ⟹ tui	tu		
libellule	lib + ell(e) + ule ⟹ l (ibelue) / l (ibe + lue) ⟹ le (ib + lu) ⟹ le iblu	le iblu		Le iblu ayant disparu, il ne nous reste que "le".
jodeln (vieil-haut-all.)	jodler ⟹ laïtoutyrolulu	lu (non retenu ; archaïque)		Qui lu cru?
jéjuno-iléon (3)	Julie-Léon ⊗ / Gilles jeunot Léon ⟹ Gilles	il		Il achève bien les chevaux, et vous?
ouaouaron		nous vous tous		
jéjuno-iléons	Julie-Léons, etc.	ils		Ils achèvent bien les chevaux, et vous?
ladies only	l'évêché (vieil auvergnat) ⟹ les	les		Les cuvettes me conviennent, leur sieds-je?
idem	idem	idem		idem
jéjuno-iléon	Julie-Léon, etc.	on	impersonnel	On achève bien les chevaux, et vous?

Notes concernant le tableau.

(1) Variante parfois proposée :

alter esgorgeur⟶alter esgorjine⟶égoje ⟹ je

(2) Le sigle SN ne signifie pas nécessairement "syntagme nominal".

(3) Il semble qu'il faille réviser la position communément admise par certains grammairiens visant à faire de "jéjuno-iléon" la forme primitive de tous les pronoms personnels, et par d'autres de : je, ju, il, ils et on.

PRONOMS (Proëme)

Quel que nôtre elle qui
Soi moi
Ce quelconque-ci

Iceux ceux-ci
Ceci cette sienne-là ça
Tel quel
Chaque quiconque auquel
Dont personne leur

Quel que nôtre elle qui
Soi moi
Ce quelconque-ci

Aucun cela cestui-ci
En toi mienne
Me tienne
Celui-ci nul
Celui-là certain
Tel

Quel que nôtre elle qui
Soi moi
Ce quelconque-ci

Quelque lui chacun vôtre
Eux
L'autre on quoi mainte
L'un
Rien

Quel que nôtre elle qui
Soi moi
Ce quelconque-ci

II) COMMENT DISCRIMINER UN PRONOM?

(Raisonnement démonstratif)

Soit l'énoncé :
    Claire voit sa soeur-ci et la étreint.

Une première série de transformations effectuées sur cet énoncé :

                Claire voit sa ci-soeur et la étreint
                           sa soeur-ci et la étreint
                           sa ci-soeur et étreint la
                           ci sa soeur et la étreint
                           ci sa soeur et étreint la
                           la ci sa soeur et étreint
                           la sa ci soeur et étreint
                           la soeur sa ci et étreint
                           la soeur-ci sa et étreint
                           étreint la soeur-ci et sa
                           étreint la soeur-ci sa et
                           et étreint la soeur-ci sa
                           et étreint la soeur sa ci
                           et la soeur étreint sa ci
                           et la soeur étreint ci sa
                           et soeur étreint la ci sa
                           et soeur étreint la sa ci

                , etc.

                                    se révèle inopérante.

Devant l'échec de cette méthode, il apparaît souhaitable de procéder à une série de substitutions que permet la polysémie du registre sémantique.

Ainsi :

        1. Claire voit sa soeur-ci et étreint la

                                    Anne

D'où :

        Claire voit sa Anne-ci et étreint la.

<u>2</u>. Les segments :

        (a)   /voit sa/
        (b)   /étreint la/

                              ne sont pas conformes à l'ordre
canonique, qu'on rétablit dans la chaîne parlée par inversion :

        Claire voit   sa   Anne-ci   et étreint   la
               └──────┘   └──────────┘

On a donc les segments :

        (a)1   /sa voit/
        (b)1   /la étreint/

                              et l'énoncé :

Claire sa voit Anne-ci et la étreint.

<u>3</u>.

3.1. Cependant, un adjectif aussi possessif que "sa" ne peut
précéder un verbe à forme conjuguée, car il n'y a aucune congruence
entre les deux. La substitution s'impose alors d'elle-même : l'adjectif doit laisser la place au pronom. D'où :

        sa ──────────→ ça

                              ce qui se conçoit aisément par
homophonie. Donc (a)1 s'énonce :

        (a)2   /ça voit/

3.2. Le problème posé par le segment (b)1 ne peut être résolu
par la notion d'homophonie, puisqu'il résulte d'une euphonie, elle-même provoquée par le choc inopportun des deux voyelles antagonistes
/a/ et /é/. La langue courante est encline à réduire le segment,
c'est-à-dire à supprimer la première voyelle en usant de l'apostrophe.
(Ce traitement peu amène nous fait entrevoir la véritable nature de
/la/.) Donc (b)1 s'énonce :

        (b)2   /l'étreint!/

On a l'énoncé :

        Claire ça voit Anne-ci et l'étreint!

4. La suite significative /ça voit Anne-ci/ contient deux segments d'une égalité relative, qu'on note :

ça voit ≃ Anne-ci

ce que l'usage transforme facilement quoique approximativement en :

ça voit ≃ Annecy (1)

L'énoncé devient :

°Claire ça voit ≃ Annecy et l'étreint!

5. A ce niveau de l'analyse subsiste néanmoins une difficulté. L'énoncé obtenu en 4 n'est pas linguistiquement pertinent, car d'une part Claire n'est pas ça et ça n'est pas Claire (2), et d'autre part Claire ne peut pas voir l'étreint dans un cadre nautique.

L'irrelevance de l'énoncé provient en fait d'une imprécision vicieuse du raisonnement en 4, d'ailleurs suffisamment indiquée par le signe ≃ , qui est celui de l'approximation. Pour obtenir une parfait égalité scientifique, il est nécessaire de modifier la détermination de ça. On aura par conséquent la suite :

/voit Annecy ça/   obtenue par

Claire ça voit Annecy et l'étreint!

D'où l'énoncé provisoire :

Claire voit Annecy ça et l'étreint!

6. Dans cet énoncé provisoire, il est évident que ça ne peut plus être rattaché à /Annecy/, car la liaison syntaxico-ferroviaire n'est plus assurée. Cette liaison est rétablie par déplacement de /et/ sur la chaîne : on fait passer /et/ du dernier membre dans le pénultième, selon le procédé suivant :

---

(1) Dans certains dialectes, on note /Savoie ≃ Annecy/, ce qui revient à ne pas accorder le verbe avec un non-pronom. Nous n'ignorons pas par ailleurs qu'Annecy garde haute sa voix (et gare de haute sa voix).
(2) Informez vous sur le ça en lisant l'entretien scientifique de Charles-Gustave avec Sigismond.

Rappel : Le signe ° indique un énoncé ou une structure non pertinents.

```
        Claire   voit   Annecy   ça   et   l'étreint!
                              ↑_____↑
```

D'où la suite :

$$\text{/voit Annecy et ça/}$$

                                                    qui donne

l'énoncé définitif :

<u>7.</u> | Claire voit Annecy et ça l'étreint! |

    Tout autre énoncé définitif ne serait que déviance issue de
mauvaises transformations ou substitutions. Ainsi ne peut-on pas
admettre :

    1) °Voit Claire Annecy et ça l'étreint

                                    car ou bien on écrit
"x" et pas "t", ou bien on écrit "t" et pas "e".

    2) °Claire voie Annecy et ça les trains!

                                    car d'une part les deux
"e" s'annulent, et d'autre part le train verbal n'est jamais à
Claire-voie.

    3) °Claire voit Annecy et ça l'étreint son genou

                                    car Annecy n'a pas de
genou, bien que son lac fasse un coude et qu'elle en soit Fier.

<u>Résumé</u> :

```
    1. Claire   voit   sa   soeur - ci   et   étreint   la
                             ↓

    2. Claire   voit   sa   Anne  - ci   et   étreint   la
                            ‾‾‾‾

    3. Claire   voit   sa   Anne  - ci   et   étreint   la
              ↑_____↑              ↑_____↑
```

4. Claire sa   voit Anne - ci et la étreint

5. Claire ça voit Anne - ci et l' étreint !

6. Claire ça voit≃ Annecy   et l' étreint !

7. Claire ça voit≃ Annecy   et l' étreint !

8. Claire voit   Annecy ça et l' étreint !

9. Claire voit   Annecy ça et l' étreint !

10. CLAIRE VOIT   ANNECY ET ÇA L' ETREINT !

Conclusion :

   Les pronoms discriminés "ça" et "l'" sont-ils masochiques ou sadistes?

III) CATEGORISATION DES PRONOMS

Affirmation 1 (pronoms masochiques)

   La première catégorie de pronoms est celle des pronoms masochiques ou heureux/malheureux. (Voyez l'historique succinct et grammatical triste.)

Exemples :

> *Je me fends la gueule. Il s'en bat l'oeil. Je me*
> *serre les coudes. Elle s'en mord les doigts. Nous nous*
> *arrachons les cheveux. Je me casse le nez. Il se bouche*
> *les oreilles. Elle se frappe pour un rien. Vous vous*
> *saignez aux quatre veines. Elle se donne beaucoup de*
> *mal. Je me tue à vous le dire. Il en met sa main au feu/*
> *à couper. Je me casse. Elle se tire. Il se presse.*
> *Je m'écrase. Elle s'envoie en l'air. Ils se font du*
> *mauvais sang. Je me tape sur les cuisses/la cloche.*
> *Je me suis démis l'épaule. Ils se frottent les yeux.*
> *Je bats ma coulpe. Il se frappe la poitrine en signe*
> *de repentir. Je me fais un sang d'encre. Nous tendons*
> *la joue droite. Ils se les gèlent. Je me fends de dix*
> *balles. Je m'enlise. Elle souffre le martyre. Vous vous*
> *faites de la bile/du mouron. Elle mange la consigne.*
> *Je suis indigent pour les bons. J'émérite une punition.*

La plupart de ces pronoms sont dits également "irréfléchis".

Affirmation 2 (pronoms sadistes)

La seconde catégorie de pronoms est celle des pronoms sadistes, qui ne ressortissent pas au ça (cf. infra), mais entretiennent avec les précédents des relations qu'il ne nous appartient pas de préciser ici. Ces pronoms ne sont heureux que lorsque ceux de la première catégorie sont malheureux. Dans ce cas, ils n'ont pas d'histoire.

Exemples :

> *Je lui serre la pogne. Je lui en fais voir de toutes*
> *les couleurs. Je l'attache à moi. Elles l'assaillent*
> *de questions. Je broie du noir. Il perce sur tous les*
> *fronts. Ils leur en font baver. Il la prend avec des*
> *pincettes. Elle fait une entorse à ses règlements.*
> *J'entends lui siffler le train. Je la mets sur la voie.*
> *Je me paie sa tête. Il les cloue au lit. Je lui jette*
> *un regard enflammé. Je lui brûle la politesse. Il lui*
> *cloue le bec. Je lui bourre le mou/lui en bouche un*
> *coin.*

additifs (1 et 2) :

-
-
-
-
-
-
-

Affirmation 3 (pronoms secondaires ou tertiaires)

La catégorisation précédente est primaire. Les autres catégories sont secondaires ou tertiaires. Ainsi les pronoms démonstratifs heureux (catégorie sadiste), les possessifs heureux/malheureux (catégorie masochique), les pronoms sado-masochiques (heureux/malheureux + heureux = doublement heureux).

N.B. : Une correspondance avec le verbe nous rappelle que les pronoms masochiques sont au nom ce que le passif est au verbe.

IV) CAS PARTICULIER - ENTRETIEN DE CHARLES-GUSTAVE AVEC SIGISMOND SUR LE MOI, LE SUR-MOI ET LE ÇA (CI).

Document exceptionnel. (1)

(Un grand salon viennois, fin-de-siècle. Lourdes tentures de brocart damasquiné devant les fenêtres ; aux murs tendus de riches tapisseries, des oeuvres de maîtres et deux portraits des parents - le père, la mère - dans des cadres ovales accrochés de part et d'autre et à distance égale d'une potiche chinoise posée sur un piédouche. Les rideaux sont tirés, obscurité relative, des bougies allumées, fichées dans des candélabres d'argent, augmentent encore la chaleur moite de la pièce. (...) Meubles de style. Le greffier, assis dans un coin sans lumière, immobile, prêt à écrire. Une grande table vide. Une seule chaise. Le divan reste inoccupé.

(SIGISMOND, assis sur un bras de sa bergère, l'air soucieux, légèrement oppressé, passe machinalement ses longs doigts dans sa barbe de neige. CHARLES-GUSTAVE, de dix-neuf ans son cadet, la chevelure en bataille, très exalté, le regard brillant, marche de long en large en faisant de grands gestes.

(Ils se regardent longuement - dix-sept minutes - sans mot dire, puis le greffier commence à noter.)

CHARLES-GUSTAVE. - Vous avez bien voulu, maître Sigismond, me consacrer quelques instants.

SIGISMOND. - En effet, mon cher Charles-Gustave, j'ai pris sur-moi et sur mon temps...

CHARLES-GUSTAVE. - Sur-moi? Mais... qu'entendez-vous par ça?

---

(1) Cet entretien constitue ce que Spinoza appelle une bonne rencontre.

SIGISMOND. - Ne mélangeons pas ça et $\frac{sur}{moi}$, je vous prie. Voyez : je ne cesse de prendre $\left(\frac{\varsigma a}{moi}\right)$ dans tous les sens possibles, et ce rapport complexe hante mes nuits... Sur-moi et sur mon honneur, je proclame que, dans la hiérarchie de l'appareil psychique, le ça ne peut être au-dessus du moi et que donc il ne saurait être sur-moi. Suivez plutôt mon confrère Frédéric quand il démonte magistralement que $\underline{homme}$ = homme $\frac{}{homme}$ surhomme.

CHARLES-GUSTAVE. - Je n'en suis pas si sur-moi. D'où prenez-vous ça?

SIGISMOND. - Voyez par exemple ça Rathoustra... (1)

CHARLES-GUSTAVE. - Mais pourtant, un philosophe d'outre-Quiévrain n'a-t-il pas affirmé une fois que ça est moi?

SIGISMOND. - Ah, ça ira comme ça, hein! ça théorie, ça est du vent dans les branches de çaçafras, de la crotte de ça, une fois. *(Stade anal)* Je vais vous dire ça : le ça est la quintessence de l'inconscient, le royaume de l'homme-animal en moi, l'instance à l'intérieur de laquelle on distingue le refoulé, le pré-conscient, la perception consciente et le moi, y compris sous-moi et moi parallèle...

CHARLES-GUSTAVE. - D'où tenez-vous ça, là quand vous le dites?

SIGISMOND. - Là quand quoi?

CHARLES-GUSTAVE. - Là quand vous le dites, ça!

SIGISMOND. - Ça ne tient qu'à moi. Pas de ça sans moi, voulez-vous?

CHARLES-GUSTAVE. - Ça est un Witz?!

SIGISMOND *(souriant finement)*. - **Moi**, ça me fait suer. Qu'est-ce que ça veut dire, moi? Ça ne veut rien dire, ça n'a ni queue ni tête, ça n'a rien à voir! Ça me fait de la peine, à moi, ça que vous me dites...

CHARLES-GUSTAVE. - Et moi, alors! *(Le ton monte.)* Moi, oui, moi! A moi! Je me moi!

SIGISMOND. - Moi! Moi! Vous n'avez que ça à la bouche! *(Stade buccal.)* Pauvre de moi! Moi parti, que ferez-vous?

CHARLES-GUSTAVE. - Ne vous en faites pas pour moi...

SIGISMOND *(sans l'entendre)*. - Chez moi, le moi est moi, je ne sors pas de ça, le moi est moi et pas le non-moi, il reste sur son quant-à-moi, comprenez-vous ça?

CHARLES-GUSTAVE. - En soi ou pour soi?

(SIGISMOND ne répond pas. CHARLES-GUSTAVE sort un petit calibre de sa poche-revolver et tire de ci, de là, un coup-ci, un coup-çà, sans pourtant atteindre ça çible.)

---

(1) Nous vous prions de vouloir excuser Sigismond, qui a eu comme un moment d'absence, ce qui arrive aux plus grands esprits.

SIGISMOND *(hors de moi)*. - Vous voulez tirer sur-moi? Ça va pas, non? Vous n'allez pas me faire ça, à moi!?

CHARLES-GUSTAVE. - Ça me ferait mal aux seins! *(Stade pectoral)* Espèce de moi transcendental!

SIGISMOND. - A moi, greffier! Voiçà l'ennemi!

(Ils se poursuivent à travers la pièce. La chaise tombe, les tentures s'agitent. Le père et la mère jettent sur la scène un oeil sévère. Le greffier, mine de rien, refuse ostensiblement d'écrire.)

CHARLES-GUSTAVE *(hors d'haleine, le doigt pointé sur Sigismond)*. - Un moi, ça?!...

(FIN DE L'ENTRETIEN)

ON NE PEUT MIEUX MONTRER QUE LES TROIS PRONOMS MOI, SUR-MOI ET ÇA SONT INQUALI-FIABLES ET RÉSISTENT À L'ANALYSE.

EXERC'I-CES PRONOMINAUX

Dans les extraits suivants, remplacez le pronom souligné par le pronom original.

1. Il haïssait ce poste qu'il occupait, le martyre quotidien qu'il endurait, et l'usure que cela représentait pour lui.

> (d'apr. David Goodis : **La police est accusée**, coll. "La chouette" n° 44, éditions Ditis. Paris 1956, p. 9.)

2. La prochaine fois qu'ils font seulement mine de vouloir te mettre en boîte, de toutes tes forces tu leur fous un coup de pied dans les roupettes.

> (d'apr. Jim Thompson : **1275 âmes.** Gallimard. "Série Noire" n° 1000. Paris 1966, p. 41.)

3. Je ne peux guère t'en vouloir de penser ces choses affreuses de moi, mais tu aurais dû quand même te dire que jamais, au grand jamais, je ne voudrais faire de la peine à ma seule véritable amie!

> (d'apr. Jim Thompson : loc.cit., p. 159.)

4. La Bruja s'exclama :
   - Mais qu'est-ce qui te prend, tout d'un coup?

> (d'apr. William Irish : **Alibi noir.** Coll. "Un Mystère" n° 278. Presses de la Cité. Paris 1956, p. 108.)

5. Muette, la foule les regarda passer.

> (d'apr. Harry Whittington : **Le salaire du diable.** Gallimard. "Série Noire" n° 434. Paris 1958, p. 167.)

6. Les as-tu vus?

> (d'apr. William Irish : **Rendez-vous en noir.** Coll. "Un Mystère" n° 321. Presses de la Cité. Paris 1957, p. 154.)

7. Celui qui pourrait tirer cent dollars de ce que j'ai chez moi serait certainement un magicien.

> (d'apr. Cornell Woolrich : **La mariée était en noir.** Edit. Fournier. Paris 1946, p. 23.)

8. Expliquez-moi simplement ce qui s'est passé avec Ruby.

> (d'apr. Harry Whittington : **VINGT-DEUX! (Long Rifle...)** Gallimard. "Série Noire" n° 343. Paris 1956, p. 139.)

9. Il n'y a aucune raison pour que tu ne retires pas ta main.

> (d'apr. David Goodis : **Epaves**. Edit. Clancier-Guénaud/Polar. Paris 1980, p. 98.)

10. Ce qui signifiait que le "quelqu'un d'autre" c'était ... Patricia Pernit!

> (d'apr. R. Lorenzo : **On ne tue pas les fées**. Coll. "Le Jury" n°18. Les éditions de Lutèce. Paris 1965, p. 46, fin du chap. V.)

11. Les feux rouges m'ont arrêté à Manchester ; je fumais.

> (d'apr. Chester Himes : **S'il braille, lâche-le...** Ed. Albin Michel. Paris 1948, p. 26.)

12. Qu'est-ce que c'est? grommela-t-il d'une voix irritée.

> (d'apr. Raymond Thornton Chandler : **Fais pas ta rosière!** Gallimard. "Série Noire" n° 64. Paris 1950, p. 28.)

13. Pour la dixième fois, il pensait à Margaret avec un nouveau respect, une sorte de crainte à l'égard de sa femme qui arrivait à se tirer d'affaire au sein d'un tel chaos - et pas rien qu'une fois, mais jour après jour - lorsqu'on sonna à la porte.

> (d'apr. Cornell Woolrich : **La mariée était en noir**. Op.cit., p. 75.)

14. - Steve, ne parle pas comme ça de Pauline. Une de ces femmes les plus affectueuses et les plus généreuses qui aient jamais vécu.

> (d'apr. Kenneth Fearing : **Le grand horloger**. Ed. Les Nourritures terrestres. Paris 1947, p. 110.)

PRONOMS - ELEMENTS DE BIBLIOGRAPHIE

. Marivaux : Le je de l'amour et du hasard. Paris 1730.
. Jean-Luc Godard : Deux ou trois choses que je sais d'elle.
. Marcel Duchamp : Tu M', 1918.
. Paul Géraldy : Toi et moi.
. Alberto Moravia : Moi et lui.
. R. Sheckly : Et quand je vous fais ça, vous sentez quelque chose?
. Peter Cheyney : Ça va comme ça. Presses de la Cité, Paris 1949.
. P.M. Perreaut : Je tue il. Coll. "Spécial-Police" n° 1154, éd.
  Fleuve Noir, Paris 1974.
. Louis Pasteur : Etudes sur la maladie des vers à soi. Ed. Gauthier-
  Villars, Paris 1870.
. Tenessee Williams : La chatte sur un toi brûlant.
. Trulala y tú. Canción popular española. Séville, s.d.
. Landru : The Deformation of Pronouns at High Temperature. Northern
  Calorific Cie Publ., Saint-Laurent 1983, p. 242 sq.
. Elle n'a pas encore pronom ces ses voeux. Chez Bouille, abbesse,
  Cette 1788.
. De Saint-Loup : Pronom-nous dans le bois. Coll. "Les Grimm célèbres",
  chez Satyre & Duviol, Chaville, Boulogne, 1862.

additifs :

.
.
.
.
.
.
.
.
.
.
.

Chapitre quatrième
L'adjectif

I) DE L'IMPORTANCE DE L'ADJECTIF

Que grande est l'importance de l'adjectif dans la langue française, et que démunie serait-elle sans lui! Voyez, estimables lecteurs assidus, bibliophiles, exigeants, ce que deviendrait sans adjectifs le texte poétique, raffiné, long, immarcescible, éminent, ineffable suivant que de Maupassant intitula Sur l'eau (extr.) :

.... Au milieu d'une campagne et, de ce vert des arbres poussés dans l'eau, le fleuve s'enfonce entre rives tellement de verdure, de feuillages et, qu'on aperçoit à peine les montagnes ; il s'enfonce tournant toujours, gardant toujours un air de lac, sans jamais laisser voir ou deviner qu'il continue sa route à travers ce pays et.

Autant que dans ces plaines du Nord, où les sources suintent sous les pieds, coulent et vivifient la terre comme du sang, le sang et du sol, on retrouve ici la sensation de vie qui flotte sur les pays.

Des oiseaux aux pieds s'élancent des roseaux, allongeant sur le ciel leur bec ; d'autres, et, passent d'une berge à l'autre d'un vol ; d'autres encore, plus et, fuient au ras du fleuve, lancés comme une pierre qui fait des ricochets. Les tourterelles, , roucoulent dans les cimes ou tournoient, vont d'un arbre à l'autre, semblent échanger des visites d'amour. On sent que partout autour de cette eau, dans cette plaine jusqu'au pied des montagnes, il y a encore de l'eau, l'eau et des marais, les nappes où se mire le ciel, où glissent des nuages et d'où sortent des foules de joncs, l'eau et où pourrit la vie, où fermente la mort, l'eau qui nourrit les fièvres et les miasmes, qui est en temps une sève et un poison, qui s'étale, et, sur les putréfactions. L'air qu'on respire est, et. Sur ces talus qui séparent ces mares, dans ces herbes grouille, se traîne, sautille et rampe le peuple et des animaux dont le sang est. J'aime ces bêtes et qu'on évite et qu'on redoute ; elles ont pour moi chose de.

A l'heure où le soleil se couche, le marais m'enivre et m'affole. Après avoir été le jour le étang, sous la chaleur, il devient, au moment du crépuscule un pays et. Dans son miroir et tombent les nuées, les nuées d'or, les nuées de sang, les nuées de feu ; elles y tombent, s'y mouillent, s'y noient, s'y traînent. Elles sont là-haut, dans l'air, et elles sont en bas, sous nous, si près et dans cette flaque d'eau que percent, comme des poils, les herbes.

La couleur donnée au monde, , et, nous apparaît délicieusement, admirablement, infiniment, autour d'une feuille de nénuphar. Les rouges, les roses, les jaunes, les bleus, les verts, les violets sont là dans un peu d'eau qui nous montre le ciel, l'espace, le rêve et où passent des vols d'oiseaux. Et puis il y a chose encore, je ne sais quoi, dans les marais, au soleil couchant. J'y sens comme la révélation d'un mystère, le souffle de la vie qui était peut-être une bulle de gaz sortie d'un marécage à la tombée du jour....

On voit par cet exemple que tout ce qui est adjectif rend
ce texte poétique, raffiné, long, immarcescible, éminent, ineffable. Ce sont ici :

marécageuse verte
puissant
deux
couvertes
impénétrables hauts
voisines
paisible
calme désert superbe

basses
clair glacé
bizarre
abondante
humides

grands pendants
pointu
larges lourds
pesant
petits rapides
innombrables
profonde
toute
trompeuse endormie vivante
grandes claires
éparses
bizarres
limpide féconde
même
attirante jolie
mystérieuses
délicieux amollissant redoutable
tous
vastes tranquilles
toutes épaisses
visqueux répugnant
glacé
froides fuyantes
quelque
sacré

tout
grand silencieux assoupi
fééerique surnaturel
calme démesuré
immense
insaisissables
mince
pointues

```
                    toute
                    charmante diverse grisante
                    finie éclatante nuancée
                    tous tous tous tous tous tous
                    tout tout tout
                    autre
                    confuse
                    originel
                    primitive
```

REGLE :

> TOUT CE QUI REND UN TEXTE POETIQUE, RAFFINE, LONG,
> IMMARCESCIBLE, EMINENT, INEFFABLE EST ADJECTIF,
> ET RECIPROQUEMENT.

AUTRES REGLES :

R.1. La fonction pyramidale exhaustive moins deux découverte pour
le nom s'applique aussi à l'adjectif (cf. supra).

R.2. Quand on connaît bien quelqu'un (nom propre), on peut
l'adjectiver.

Exemples :

. Le dormeur duval.
. Cette jeune fille est réellement durande.
. Sylvain m'apprit encore une chanson fort
  lamberte.
. Un poids sanchez tire au bout de la corde.
. Elle continuait cependant sur un ton mi-
  escoffier, mi-blanchard, avec un certain
  air d'autorité.
. La formule était tissote!
. Duval a jugé Marie brizarre.

R.3. Presque tout peut être adjectif, dans tous les sens de la
phrase et du mot.

Exemples :

Un vert véronèse et vif (nom propre adjectivé,
cf. supra).
Un rouge boucher et vif (nom propre adjectivé).
Un rouge boucher chevalin (nom commun adjectivé).
Les trompettes bouchères font la joie de
    l'orchestre (verbe adjectivé).

R.4. Certains adjectifs sont tous dérivés de noms à l'aide de suffixes.

4.1. suffixe -SIN (archaïque : -ZZIN)

limou	–	limousin
argou (1)	–	argousin
boue	–	bousin
cou	–	cousin
muet	–	muezzin
toulou	–	toulousin
nicolapou	–	nicolapousin

additifs :

–
–
–
–
–

4.2. suffixe -OIS

petip	–	petipois
énarque	–	énarquois
anche	–	anchois
pente	–	pantois
amamjemeûne	–	amoiamoijemenois
bitter	–	bitterois
duconlaj	–	duconlajois
harde	–	hardoise (uniquement fém.)
mon trédud (2)	–	mon trédudois
grive	–	grivois
hâte	–	à toi (pour la vie)
pâte	–	patois
pipembe	–	pipembois

additifs :

–
–
–
–
–

---

(1) Toute ressemblance, etc.

(2) trédud, nom masc. : pièce d'armure située entre la genouillette et le sicabre.

4.3. suffixe -IEN

colombe	-	colombien
âme	-	amiens (masc. plur.)
elladuche	-	elladuchien
andalouche	-	andalouchien
v'monc'ch'	-	vienmonchienchien
samfère	-	samfèrien
sépare	-	séparien
dame	-	damien

additifs :

-
-
-
-
-

4.4. autres suffixes

suffixe   -ATEUR

suffixe   -AVORAN

suffixe   -YZ

suffixe   -ERRANT (mobile)

suffixe   -etc. (ça suffixe comme ça)

R.5. Zut!

R.6. Les adjectifs numéros un sont toujours classés au hit-parade.

R.7. Les adjectifs mazarin, richelieu, ottaviani, est, ouest, nord, sud (et leurs composés), claudia, vertu, camerlingue sont dix cardinos.

R.8. Les adjectifs "deux rohan" et "deux retz" sont à la fois numéros et cardinos.

R.9. Quelques adjectifs sont aujourd'hui inusités.
Exemples : "deux rohan", "deux retz".

R.10. (Modèle inusité, mais à deux fois deux rohans indépendantes.)
Les adjectifs "deux rohan" et "deux retz" sont à la foi numéros, cardinos et inusités.

II) <u>EXERCICES</u>

1. Qu'est-ce que l'adjectif déterminatif?

2. Comment connaît-on qu'un mot est adjectif qualificatif?

3. Quel est l'emploi de ces mots ce, ces, cette, cet?

4. Comment se fait-il que les listes d'adjectifs démonstratifs établissent pour toujours la préséance du masculin sur le féminin?

5. Que pensez-vous de l'adjectif?
   (Durée : 4 heures. Coefficient : 6.)

6. Quel rôle joue l'adjectif expansé dans l'expression polystyrène expansé?

7. Rétablissez l'adjectif et/ou la phrase originale :

> 7.1. C'était beau, beau, beau, beau.
> (d'apr. Horace McCoy : On achève bien les chevaux. Gallimard. Paris 1946, p. 79.)

> 7.2. Quand ils furent <u>seuls</u>, Sam dit à son maître :
> (d'apr. Cornell Woolrich : La mariée était en noir. Ed. Fournier. Paris 1946, p. 117.)

> 7.3. Et je vais te dire aut' chose, oncle John. Une chose bougrement plus <u>sensée</u> que la plupart des paroles de l'écriture qu'on m'a fait lire.
> (d'apr. Jim Thompson : 1275 âmes. Gallimard. "Série Noire" n° 1000. Paris 1966, p. 136.)

> 7.4. Ou, n'est-ce pas un <u>vieux</u> reste de ces machins dont on se servait pour envelopper la vaisselle dans les prix uniques?
> (d'apr. Kenneth Fearing : Le grand horloger. Edit. Les Nourritures terrestres. Paris 1947, p. 78.)

8. Montrez à l'exemple du paragraphe suivant :

> Au moment précis où il parlait, une vieille charrette de charbonnier, sans doute une des dernières de Paris où les petits métiers se perdent, fit résonner sur les pavés inégaux les cahots grinçants de ses roues disjointes....

que la pléthore d'adjectifs nuit à la beauté d'un texte.

128

BIBLIOGRAPHIE CONDENSEE

- Guy de Maupassant : **Sur l'eau**. Dessins de Riou. C. Marpon & E. Flammarion, éditeurs, Paris 1888.
- Charlotte D. : **Les 33 positions de l'adjectif**. Lougnac-sur-Vareilles, 1832.
- Norbert Bouju : **Une expédition en Adjectif Nord**. Reykjavik 1983.
- Anonyme : **Douze ans chez les Adjectifs ou Adjectif et Tondu. De l'attribut des Chauves du Plata de los Otros méridional**. Amsterdam 1730.
- Mademoiselle Adélaïde : **Tiens, voilà mon sein-épithète**. Lougnac-sur-Vareilles 1831.
- Blaise Pascal : **Entretien avec Monsieur de Ça-ci sur épithète et Montaigne**.
- Abdel Icatif : **Moi, grand calife**. Bagdad, s.d. (1)
- John D. Pretty : "Regarding the Sound Quality of Adjectives and a Scientific Basis for Adjective Construction", in : **The Journal of the Grammatical** Society of America, vol. 32, n° 8, p. 112 sq., July 1978.
- **Catalogue raisonné des adjectifs bibliques, coraniques, talmudiques, bouddhiques et taoïstes, établi par différents docteurs.** Bibl. de la Jeunesse admirative : Livre récréatif et amusant (pour tous).

additifs :

-
-
-
-
-
-
-
-
-
-

---

(1) Sans dattes.

Chapitre cinquième
L'article

EXTRAIT DU CATALOGUE

° ° °

Tous nos articles sont en vente dans les bonnes maisons. Nous vous offrons néanmoins de les essayer chez vous, tranquillement, en famille, et, si vous n'êtes pas satisfaits, de ne vous en prendre qu'à vous.

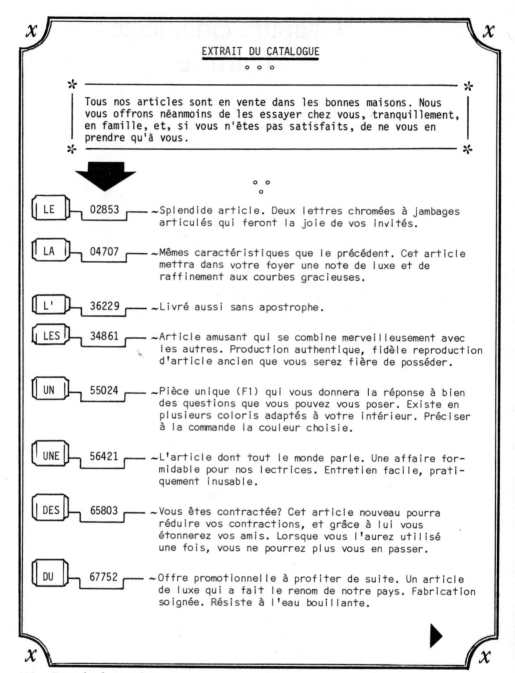

LE — 02853 — ~Splendide article. Deux lettres chromées à jambages articulés qui feront la joie de vos invités.

LA — 04707 — ~Mêmes caractéristiques que le précédent. Cet article mettra dans votre foyer une note de luxe et de raffinement aux courbes gracieuses.

L' — 36229 — ~Livré aussi sans apostrophe.

LES — 34861 — ~Article amusant qui se combine merveilleusement avec les autres. Production authentique, fidèle reproduction d'article ancien que vous serez fière de posséder.

UN — 55024 — ~Pièce unique (F1) qui vous donnera la réponse à bien des questions que vous pouvez vous poser. Existe en plusieurs coloris adaptés à votre intérieur. Préciser à la commande la couleur choisie.

UNE — 56421 — ~L'article dont tout le monde parle. Une affaire formidable pour nos lectrices. Entretien facile, pratiquement inusable.

DES — 65803 — ~Vous êtes contractée? Cet article nouveau pourra réduire vos contractions, et grâce à lui vous étonnerez vos amis. Lorsque vous l'aurez utilisé une fois, vous ne pourrez plus vous en passer.

DU — 67752 — ~Offre promotionnelle à profiter de suite. Un article de luxe qui a fait le renom de notre pays. Fabrication soignée. Résiste à l'eau bouillante.

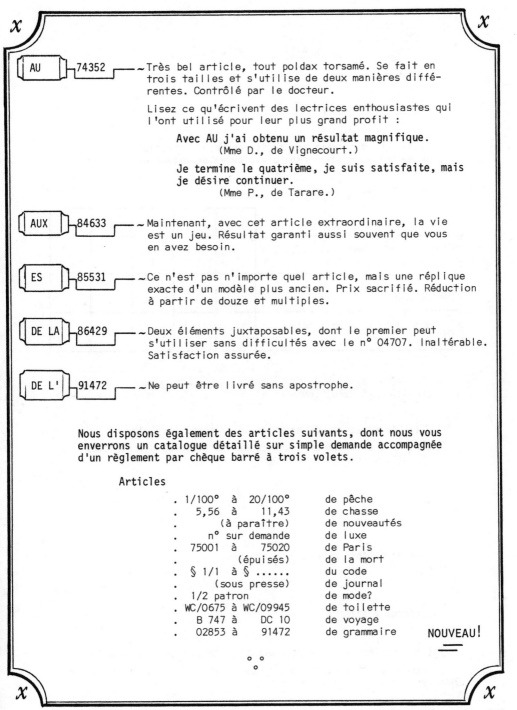

AU ─ 74352 ── ~Très bel article, tout poldax torsamé. Se fait en trois tailles et s'utilise de deux manières différentes. Contrôlé par le docteur.

Lisez ce qu'écrivent des lectrices enthousiastes qui l'ont utilisé pour leur plus grand profit :

Avec AU j'ai obtenu un résultat magnifique.
(Mme D., de Vignecourt.)

Je termine le quatrième, je suis satisfaite, mais je désire continuer.
(Mme P., de Tarare.)

AUX ─ 84633 ── ~Maintenant, avec cet article extraordinaire, la vie est un jeu. Résultat garanti aussi souvent que vous en avez besoin.

ES ─ 85531 ── ~Ce n'est pas n'importe quel article, mais une réplique exacte d'un modèle plus ancien. Prix sacrifié. Réduction à partir de douze et multiples.

DE LA ─ 86429 ── ~Deux éléments juxtaposables, dont le premier peut s'utiliser sans difficultés avec le n° 04707. Inaltérable. Satisfaction assurée.

DE L' ─ 91472 ── ~Ne peut être livré sans apostrophe.

Nous disposons également des articles suivants, dont nous vous enverrons un catalogue détaillé sur simple demande accompagnée d'un règlement par chèque barré à trois volets.

Articles

.	1/100° à 20/100°	de pêche
.	5,56 à 11,43	de chasse
.	(à paraître)	de nouveautés
.	n° sur demande	de luxe
.	75001 à 75020	de Paris
.	(épuisés)	de la mort
.	§ 1/1 à §	du code
.	(sous presse)	de journal
.	1/2 patron	de mode?
.	WC/0675 à WC/09945	de toilette
.	B 747 à DC 10	de voyage
.	02853 à 91472	de grammaire NOUVEAU!

° °
  °

L'ARTICLE - EXERCICES

1. EXERCICES PHYSIQUES

Courez chercher dans les trois centres commerciaux les plus proches de votre domicile cinq articles en promotion extraits du catalogue.

Comparez les prix.

	Art.1	Art.2	Art.3	Art.4	Art.5
Prix constatés chez .... (Centre commercial n° 1)					
Prix constatés chez .... (Centre commercial n° 2)					
Prix constatés chez .... (Centre commercial n° 3)					

2. EXERCICES D'ASSOUPLISSEMENT

2.1. Décontractez vos articles contractés. Inspirez.

2.2. Même exercice en contractant vos articles décontractés. (Cinq fois.)

3. EXERCICES EQUESTRES

Essayez plutôt de monter un article.

4. EXERCICES SPIRITUELS

Extraire les articles de l'oeuvre d'Inigo Lopez de Loyola.

Ingérer quelques articles, laisser faire l'oeuvre de la Nature, Dieu reconnaîtra les siens.

5. EXERCICES MILITAIRES

Je ne veux voir qu'un seul article!

6. EXERCICE DU POUVOIR

Exercez-vous à respecter les articles de la constitution.

7. EXERCICE POUR L'ANNEE

Faites l'inventaire de tous les articles rencontrés du premier janvier au trente et un décembre courant.

UNE BIBLIOGRAPHIE

. Béatrice Beck : Les Honmaurin, prêtres.
. Jean-Jacques Rousseau : Les Tradalembert.
. Françoise Parturier : Les trous vertes aux femmes (voir genres).
. J. Cazeneuve : Les vits brûlent.
. Jean-François Lyotard : Des rives à partir de Marx et Freud.
. François Mauriac : Thérèse des Queyroux.
. S. de Sacy : Des cartes par lui-meme.
. Frédéric Nietzsche : Excès aux mots.
. Graham Greene : Au riant express.
. La rousse de poche.

additifs :

.
.
.
.
.
.
.
.
.
.

Chapitre sixième
Les invariants

SYNOPSIS ORIGINALE

. La nuit des temps. (Fondu
  enchaîné du noir au gris.

. Un point lumineux qui se
  rapproche (lettres
  fluorescentes).)

. Gros plan de la phrase.
  Immédiatement elle s'efface.

Une voix muette : – SUR LA VOIE
GOUDRONNEE PRES DE JERUSALEM...
(tralala)

. La nuit des temps. La
  phrase clignote.

. Plan sur la route de
  Jérusalem. Bruit de chaussures cloutées sur
  l'asphalte.

– S'EN VIENT UN INVARIANT VIEUX
  COMM' MATHUSALEM...

. Gros plan sur un invariant.

. Jeux de caméra de la route à
  sa bouche. L'invariant bombe
  le torse, étreint une forme
  imaginaire et chante à pleine
  voix. (On n'entend pas ce
  qu'il dit, mais des sous-
  titres apparaissent en bas
  de l'écran.)
. La bouche en gros plan.
. Les lèvres se meuvent exactement selon les paroles
  qu'il débite.
. (Gros plan sur des chevaux.)

– OUI C'EST MOA L'INVARIANT, JE SUIS
  TOUJOURS LE MEME,
  ETRE UN INVARILLANT EST UN BONHEUR
  EXTREME ;
  NI L'EVOLUTILLON NI LE CHANGEMENT
  N'AIME...
  (tralala)

. Il crache négligemment.

. Il montre ses poches vides
  et trouées.

– MES SEMBLABLES ET MOI N'AVONS PAS
  DE PROBLEMES...

. Sur un signe de l'invariant,
  des milliers d'autres sur-
  gissent. Ils sont tous iden-
  tiques. Un cortège se forme,
  immense.

– NOMBREUX MAIS PAS PLURIELS, LA
  GRAMMAIRE EN EST BLEME,
  ON VEUT NOUS SUPPRIMER, MAIS
  POURTANT ON ESSAIME,
  ET NOUS VOILA PARTOUT, DANS PROSES
  ET POEMES,
  DANS LES ARTS ET LA SCIENCE,
  AXIOME ET THEOREME!...

. Le cortège, de profil,
  noircit une page vierge.

. Plan de deux invariants
  qui forniquent tristement.

- OUI OUI NOUS FORNIQUONS, ET
  POURTANT C'EST CAREME,
  MAIS SANS NOUS CONJUGUER, MUETS
  COMME DES BREMES...

. Gros plan sur la naissance
  de douze petits invariants.
  L'invariant fixe furieusement
  la caméra qui le filme.

. Plan plus rapproché de deux
  poissons dans une rivière.

. Retour sur le premier invariant et sur sa bouche.

- NOUS N'AVONS PAS DE VOIX, C'EST
  PAS COMME DRANEM (1) ;
  SANS HISTOIRE ET SANS MODE, ET
  CEPENDANT PHONEMES,
  SANS DEFINITILLON, MAIS NONOBSTANT
  MONEMES,
  UN PAR UN, TROIS PAR CINQ, OU
  ALORS EN TANDEM,
  NOUS SOMMES INVARIANTS, PLAISIRS
  DU FAIBLE EN THEME...

. Deux invariants s'approchent
  gaiement en tandem poursuivis
  par plusieurs autres.

. Plan sur une succession d'invariants heureux.

. Ils montrent leur front de
  leurs doigts noueux.

- SOUVENT SUR NOS FRONTS PURS
  ON JETTE L'ANATHEME...

. Plan sur un jeteur d'anathème
  flemmard qui lit une grammaire
  allongé sur sa couche.

- C'EST UN GESTE CRUEL, INSPIRE PAR
  LA FLEMME...

. Gros plan sur des grammaires.

. Une place envahie par les invariants qui écoutent en
  rangs serrés. Des bruits
  divers de moteurs et d'essieux.
  Crescendo d'applaudissements.

- CAMARADE INVARIANT, DES GRAMMAIRES
  LA CREME,
  GLOIRE DES BEAUX QUARTIERS, FLEURON
  DES ACHELEMES,
  ORGUEILLE DE LA ROUT' COMME DU
  PEELEME :

  ETRE UN INVARILLANT EST UN HONNEUR
  SUPREME!

---

(1) Dranem : chanteur de caf'conc', né à Paris de 1869 à 1935 ("Les
    p'tits pois", "Pétronille").

SANS ESPOIR DE RETOUR   247

Absolument rien.

FIN

Fig. : Deux invariants terminent **Sans espoir de retour**
de David Goodis. Fac-similé de la dernière ligne
de ce roman paru en 1956 chez Gallimard dans la
coll. "Série Noire" (n° 288) traduit par Henri
Robillot. (247 pages.)

L'auguste lumière de ce film illumine l'invariant d'un éclairage tout à fait nouveau.

Exemple :   ni céphore, ni epce.

Qu'est-ce donc que l'invariant? Comment le reconnaît-on? Comment le distingue-t-on de ses dissemblables?

REGLE :

> Est invariant ce qui n'est ni verbe, ni nom, ni adjectif, ni pronom, ni article.

TABLEAU RECAPITULATIF

non-verbe	. Ne se conjuguent pas . Ne connaissent pas la voix ni le mode?
non-nom	. Ne prennent pas la marque du pluriel . Ne sont pas soumis à l'opposition de nombre
non-pronom malheureux	. N'ont pas d'histoire
non-article	. Non répertoriés au catalogue

DEFINITION :

> Les invariants n'ont pas de définition.

EXERCICES INVARIANTS

1. Remplacez tous les invariants du tableau par un invariant.

2. Récitez plusieurs fois le poème suivant sans faire varier
l'intonation.
(N.B. : "i" signifie "invariant".)

```
           IIIIIIIIIIIII

     iiiiiiiiiiiiiiiiiiiiiiiiiiiiiiii
     iiiiiiiiiiiiiiiiiiiiiiiiiiiiiiii
     iiiiiiiiiiiiiiiiiiiiiiiiiiiiiiii
     iiiiiiiiiiiiiiiiiiiiiiiiiiiiiiiii

     iiiiiiiiiiiiiiiiiiiiiiiiiiiiiiiii
     iiiiiiiiiiiiiiiiiiiiiiiiiiiiiiiii
     iiiiiiiiiiiiiiiiiiiiiiiiiiiiiiii
     iiiiiiiiiiiiiiiiiiiiiiiiiiiiiiii

     iiiiiiiiiiiiiiiiiiiiiiiiiiiiiiii
     iiiiiiiiiiiiiiiiiiiiiiiiiiiiiiii

     iiiiiiiiiiiiiiiiiiiiiiii
     iiiiiiiiiiiiiiiiiiiiiiii
     iiiiiiiiiiiiiiiiiiiiiii
```

3. Remplacez les invariants du texte suivant par les invariants
   convenables. (N.B. : Pour plus de commodité, les invariants
   à remplacer sont en caractères gras dans le texte.)

Perrette **vers** sa tête ayant un pot au lait
Mal posé **sous** un coussinet
Prétendait arriver **mais** encombre **dès** la ville
Légère **ou** court vêtue, elle allait **sans** grands pas

Cotillon simple **à** souliers plats.
Notre laitière **sitôt** troussée
Comptait **assez sans** sa pensée
Tout le prix **ah** son lait, **quand** employait l'argent,
Achetait un cent d'oeufs, fesait triple couvée :
La chose allait **tôt** bien **plus** son soin diligent.
"Il m'est, disait-elle, facile
D'élever des poulets **morbleu sur** ma maison ;
Le renard sera **heuh** habile
S'il ne m'**or** laisse **beaucoup en** avoir un cochon.
Le porc **pour** s'engraisser coûtera **mieux pis** son ;
Il était, **tard** je l'eus, **là** grosseur raisonnable ;
J'aurai, le revendant, **tant** l'argent bel **car** bon.
Mais qui m'empêchera **sauf** mettre à notre étable,
Si le prix dont il est, une vache **sous** son veau,
Que je verrai sauter **ensemble** du troupeau?"
Perrette **ci-devant** saute **avec**, transportée :
Le lait tomb' ; **bigre** veau, vache, cochon, couvée.
La dame sans ces biens, quittant d'un oeil marri,
Sa fortune **aussi** répandue
Va s'excuser **sous** son mari
Hors grand danger d'être battue.
Le récit **sans** farce **donc** fut fait ;
On l'appela le Pot au lait.

Quel esprit **quand** bat la campagne?
Qui **loin** fait châteaux **hier** Espagne?

Jean **ou** La Fontaine.

4. Même exercice qu'en <u>3</u>.

- Comme tu es belle! Tu parais aussi fraîche que **si** tu sortais
  d'une boîte!
    (d'apr. William Irish : **Rendez-vous en noir.** Coll.
    "Un Mystère" n° 321. Presses de la Cité. 1957. p. 148.)

- Qu'est-ce qu'elle a de spécial? demandai-je à Gloria, **tandis**
  que Rollo nous quittait pour aller retrouver James et
  Ruby Bates.
    (d'apr. Horace McCoy : **On achève bien les chevaux.**
    Gallimard. Paris 1946, p. 94.)

- **D'abord** tu me dis qui t'a engagé. C'est Luxtro? Hein?
    (d'apr. Harry Whittington : **Vingt-deux! (Long rifle...)**
    Gallimard. "Série Noire". n° 343. Paris 1956, p. 141.

- Tu sais ce qui arrivera, à la seconde même où tu seras **dans**
  le pétrin pour de vrai?
    (d'apr. Kenneth Fearing : **Le grand horloger.** Edit. Les
    Nourritures terrestres. Paris 1947, p. 110.)

Chapitre septième
Les catégories

I) <u>LA GENRE</u>

Tous les mots ont une sexe. C'est la genre qui la leur confère.

(Le mot genre s'autogénère ad libitum. On dira donc tantôt la genre, tantôt le genre, indifféremment.)

Il y a deux genres :

      G.1. le genre masculin, pour tous les mots
          de sexe masculine ;
      G.2. le genre féminin, pour tous les mots
          de sexe féminine.

Exception : genre.

Les deux genres précédemment cités, c'est-à-dire G.1. et G.2., connaissent les subdivisions suivantes qui, elles, ne sont pas liées à la sexe :

        genre humain
        genre noble
        mauvais genre
        bon genre
        genre ennuyeuse
        genre zazou
        genre drôle (de)
        genre sérieuse

. Au <u>singulier</u>, on reconnaît la sexe d'un nom à l'article qui <u>l'</u>accompagne, quand ce dernier n'est pas éludé.

Consultez le tableau qui suit.

une, la	chienne	un, le	jésus
une, la	syphilis	un, le	saucisson
une, la	chameau	un, le	sceptre
une, la	racaille	un, le	héros
une, la	scarlatine	un, le	bidet
une, la	quéquette	un, le	président
une, la	politique	un, le	nom
une, la	pelle-à-merde	un, le	record
une, la	barbe!	un, le	stradivarius
une, la	piquette	un, le	drapeau
		un, le	martyr
		un, le	martyre
		un, le	champagne
		un, le	français

Il ressort de ce tableau que le nombre (1) des mots masculins est plus élevé que le nombre des mots féminins.

Cependant, tout mot accompagné d'un article défini et commençant par une voyelle voit sa sexe éludée.

Ex.

l'eau
l'amour
l'orgue
l'agrammaire

Au pluriel, souvent les sexes se fondent :

les, des, aux   livres
trompettes
couples
guides
artistes
pendules
platines
sommes
trièdres

Blague à part, il n'existe à notre connaissance aucune grammaire qui ose former le masculin à partir du féminin. On lit partout :

---

(1) Voir à ce terme dans ce chapitre.

"On forme le plus souvent le féminin d'un nom en ajoutant un -e au masculin."

Ex.

un fermier, une fermière
un Marseillais, une Marseillaise
etc.

(Ci-dessous, espace pour compilations supplémentaires éventuellement personnelles.)

et jamais, autant que nous sachions :

I) LA GENRE (SUITE)

"Le masculin se forme en retranchant un -e au féminin."

Ex.

une cousine	un cousin
une ourse	un ours
une loupe	un loup
une ponte	un pont (1)
une chaise	un chais
une fraise	un frais
une glande	un gland
une vente	un vent
une porte	un port
une paire	un pair
une patine	un patin
une lézarde verte	un lézard vert
une semise (2)	un semis

---

(1) Exception : un ponte.
(2) Sauf en Auvergne.

(Ci-dessous, espace pour créations personnelles supplémentaires
éventuelles.)

. Ceci est également valable pour des masculins issus de divers
féminins. Le plus souvent, on dérive le masculin par adjonction d'un
morphème au féminin simple.

Ex.

une coche	un cochon
une bru	un gendre
une taure	un taureau
une servante	un serviteur
une hase	un lièvre
une tonne	un tonneau
une belle plante	un beau planton
etc.	

(Ci-dessous, espace pour créations supplémentaires personnelles
éventuelles.)

Ce qui se schématise comme suit :

Il existe malheureusement quelques exceptions à cette belle règle.

EXCEPTIONS

1. Certains masculins terminés par -eau forment leur féminin à l'aide du suffixe -elle, suffixe par ailleurs éminemment féminin :

agneau	agnelle
beau	belle
beaucoup	bellecoupe
chameau bai	baie chamelle
chapeau	chapelle
cocteau	coctelle
eau	elle
gémeau	gémelle
jouhandeau	jouhandelle
maquereau	maquerelle
mirabeau	mirabelle
passereau	passerelle
peau	pelle
pruneau	prunelle
puceau	pucelle
queneau	quenelle
rideau	ridelle
ritourneau	ritournelle
rousseau	roussel((le))
sautereau (1)	sauterelle
seau	selle
vaisseau	vaisselle
etc.	

(Ci-dessous, espace pour récréations personnelles supplémentaires éventuelles.)

---

(1) Cours célèbre cité par Francis Blanche (nom masc.).

I) LA GENRE (SUITE ET FIN)

Exceptions :

2. . Belle-d'onze-heures est toujours ornithogale.
   . Un merleau est parfois ponty.
   . "péniche" ne s'utilise qu'au féminin, sauf en
     Auvergne.
   . etc.

(Ci-dessous, espace pour éventuelles créations personnelles
supplémentaires.)

3. Les noms terminés par -e au féminin ne varient pas
   au masculin.

   Exemple : une terre neuve   /   un terre neuve

   Exceptions :
                    . un garçon donneur
                      une demoiselle donneuse

                    . péniche, **sauf en Auvergne**

4. Quelques-uns forment leur masculin à l'aide du
   suffixe -esse.

   Exemple : une pince-oeuf   /   un pince-oeufesse

5. D'autres forment leur féminin à l'aide du suffixe
   -esse.

   Exemple : un pince-feu   /   une pince-fesse

(Ci-dessous, espace pour créations personnellement supplémentaires.)

NEOLOGISMES OU MOTS NOUVEAUX

Au fur et à mesure de l'apparition d'un mot nouveau dans la langue, l'attribution de son genre donne lieue (sic) à un vote à double tour chez la vieille dame du quai de Conti. Après le câfé et les liqueurs, les participants revêtent leur cagoule verte et dessinent d'une main tremblante la sexe stylisée de leur choix sur un bristol vierge. Au premier tour, ils comptent les voix ; au deuxième tour, ils les comptent derechef. En cas de différence entre les résultats du premier tour et ceux du second, ou en cas de ballottage, c'est la vieille dame elle-même qui tranche. La sexe ainsi tranchée entre en usage.

C'est ainsi que s'expliquent certaines anomalies de la langue française et l'existence de féminins et masculins inclassables.

Exemples :   alcôve, andouille, androgyne, échappatoire,
équivoque, secrétaire, synopsis, etc.

NOTULES

A. Le genre des autres catégories de mots que le substantif est déterminé par la genre du substantif.

ce chat-ci   un chat noir
cette voix-là   la voix claire

B. La juxtaposition des mots féminins et masculins a été effectuée par habitude et commodité. Elle n'implique pas par exemple que la fermière soit le féminin du fermier ou que le fermier soit le pendant masculin de la fermière. La différence n'est que morphologique (cf. infra, § II Singulier/Pluriel).

(Ci-dessous espace pour créations génériques supplémentaires éventuelles.)

II) SINGULIER/PLURIEL

<u>1</u>. Le singulier désigne <u>un</u>/<u>une</u> être/objet/substance, le pluriel en désigne deux et plus.

    Exemple :   un arbre   des arbres

<u>2</u>. Or le pluriel n'est pluriel qu'en fonction de lui-même.

            des arbres n'est pas le pluriel de un arbre.

Fig. : des arbres n'est pas le pluriel de un arbre.

<u>3</u>. Donc, les éléments contenus dans un pluriel ne sont pas la réplique de plusieurs éléments singuliers identiques, mais de plusieurs singuliers différents ou du singulier pris comme point de départ avec d'autres dans un ensemble.

Résumé :

> 1. Jean, élève
> 2. des élèves
> 3. des élèves, dont Jean

Pour les mêmes raisons de commodité énoncées en I, nous avons juxtaposé arbitrairement les singuliers et les pluriels.

EXCEPTIONS CONFIRMANT L'ABSENCE DE REGLE

La morphologie des pluriels n'obéit à aucune règle précise. Il est donc indispensable de procéder par séries.

<u>Série 1</u> : pluriels par contraires

un glaoui	des glanons
un entonnoir	des entoblancs
un urinoir	des uriblancs
un bateau	des bâtards
un pisse-froid	des chaudes-pisses
un gazpasfroid	des gazpachos (1)
une sous-femme	des surhommes
allô le pompier	aux feux les pompiers
un catho	des catarres
un Pline le Jeune	des Pline l'Ancien
etc.	

(Ci-dessous, espace pour autres créations personnelles:)

_____

(1) Mais froids néanmoins.

Série 2 : pluriels musicaux

une fourmi	des fourrés
un lalo	des silos
un debussy	des debuffa
un mikado	des fakado (1)
dodo l'enfant	mimi les enfants
une cigale	des mygales
un lascif	des récifs
un docile	des missiles
un sofa	des seaux d'eau
un cucuré	des cucufa
un doté	des mités
une utopie	des myopies
une citrine	des latrines
etc.	

(Ci-dessous, espace pour compositions personnelles supplémentaires éventuelles:)

Série 3 : pluriels un,une/des

un zopilant	des zopilants
un beau cantal (2)	des bels cantos
un chanel	des chanels
un désuet	des modés
un zidératum	des zidérata
un miurge	des architectes de l'univers
une cuscuteuse	des cuscuteuses
une iforme	des accoutrements
un cemvir	des cemvirs
un Sisyphe	des cisifs
un nonciateur	des nonciateurs
un roulède	des roulèdes
un quorum	des quorums

(Ci-dessous, espace pour découvertes personnelles éventuelles:)

---

(1) Avec une courroie dans la bouche.
(2) Auvergne.

<u>Série 4</u> : pluriels le,la,l'/les

la nine	les nines (var. les nonnes)
le civet	lessivés
la lola (montès)	les sbiennes (descènndou)
la trine	les trines
l'en-soi	les en-sois (1)
la fausse danse	les fosses d'aisance
l'agotriche	les singes laineux
etc.	

(Ci-dessous, espace pour créations supplémentairement éventuelles:)

<u>Série 5</u> : pluriels latins

un patati	des patata
touche pas au grisbus	touchez pas aux grisbi (2)
et coetera	

(Ci-dessous, espace pour latinisations supplémentaires éventuelles:)

<u>Série 6</u> : pluriels numériques

6.1. pluriels un,une/deux

une	deux (milit.)
un tschemark	deux tschemarks
une roupie	deux sansonnets
une mi-mondaine	deux mi-mondaines
marché commun	marché comme deux
un pipi	deux chats
un amour	deux Swann
etc.	

---

(1) Sauf en Auvergne.
(2) Variante non admise : "Touchez pas aux grises bites."

(Ci-dessous, espace pour numérisations supplémentaires éventuelles:)

6.2. pluriels un,la/cinq

un gleton	cinq gletons
l'agent d'un nicolas	légendes de cinq nicolas
un plomb	cinq plombs
un cucufa	cinq cucufa
etc.	

(Ci-dessous, espace pour créations, etc.)

6.3. pluriels un,une/six

un smic	six smics
un fond	six fonds
une menterie	six menteries
une boulette	six boulettes
un flan	six flans
un flottant	six flottants (dériv. du précédent)
une mule tannée	six mules tannées
un faux nez	six faux nez
un rocco (1)	six roccos (2)
une baryte	six barytes
etc.	

(Ci-dessous, espace pour, etc.)

---

(1) Sans ses frères.
(2) Avec ses frères.

6.4. pluriels un,une/dix

un ctionnaire	dix ctionnaires
un verticule	dix verticules
un jaunet	dix jaunets
une gestion	dix gestions
un lemme	dix lemmes
une stance	dix stances
un trait	dix traits
une proportion	dix proportions
une pute	dix putes
un plodocus	dix plodocus
un plomate	dix plomates
etc., etc.	

(Ci-dessous, espace pour diversions personnelles:)

6.5. autres pluriels numériques

la verge	les onze mille verges
la nuit	les mille et une nuits
la journée de Sodome	les cent-vingt journées de Sodome
la guerre 2-3 n'aura pas lieu	les guerres 14-18 ont eu lieu
une lieue sous la mer	vingt mille lieues sous les mers
etc.	

(Ci-dessous, espace pour créations personnelles etc.)

Série 7 : pluriels bègues

Les pluriels bègues ont ceci de particulier qu'ils redoublent leur syllabe finale.

un lot	des lolos
un nez	des nénés
un bert	des béberts
une doune	des doudounes
un roplot	des roploplots
etc.	

(Espapace pour créations personnelles éventuelles:)

Le pluriel des noms terminés par -ou est généralement
en -ous. Font exception et entrent dans la série 7 :

bijou	bijoujoux
caillou	caillouilloux
chou	chouchoux
genou	genounoux
hibou	hibouboux
joujou	joujoujoux
pou	poupoux

CAS PARTICULIERS DE CERTAINS NOMS PROPRES

1. Certains noms propres ont un pluriel irrégulier.

un Charlemagne	des Charles-Deux
un Charles-Quatre	des Charles-Quint
un Louis Quatroze de Bourbon	des Four Roses
un Four Roses	des cirrhoses
un Vivaldo	des Vivaldi
etc.	

(Ci-dessous, espace, etc.)

2. Certains noms propres ne s'emploient qu'au pluriel.

Jules Romains
Georges Bernanos
Georges Ribemont-Dessaignes
Jules Vallès
Charles Marx

Exception : Giuseppe Ungaretti.

etc.

(Espace pour éventuelles créations:)

CAS PARTICULIERS DE CERTAINS NOMS COMMUNS

. Certains noms communs ont un pluriel étrange.

un dos	des caèdres
un maître	des colles
mais : un mètre	des pliants
un individu	des vergondés
un malade	des nerfs
un manon	des grieux
un gui	des cars
un pain	des pisses
un gouvernement	désastreux
un renard	des sables
mais : une rose	des sables
une marceline	des bordes-valmores
un camille	des moulins
etc.	

(Ci-dessous, etc.)

III) LE PARTITIF

Le partitif se situe fièrement au-delà de la discrimination singulier/pluriel (refus du nombrable).

Exemples :

On trouva du guesclin répandu sur la route.
Il sortit pour acheter du barry.
Elle tira du noyer de ses gonzacs.
Le sage moissonne dès le matin, l'insensé achète
du sel d'orf.

EXERCICES CINQ A SEPT

5.A. Donnez le féminin des mots ou expressions suivants.

coquarde

homéotherme

périmé

coquin

minium

perdre

tocsin

homme-oiseau

marionnette

cosi fan tutti

5.B. Rétablir, s'il y a lieu, les genres et les nombres convenables.

La princesse Ringuette, étendue sous le marquis, compulsait tour à tour le catalogue du beau jardinier et la petite chose.

Elle passait gaiement d'un page à l'autre et, mutine, en sautait un de temps en temps.

On entendait au loin l'accent d'un Marseillais quand arriva le vieux croûton :

– Tiens, bonjour madame Courbette!

– Entrez donc, et posez-vous là sur le berger. Allons, n'ayez pas peur, ce n'est pas La Pérouse!

6. Rendez leur bon genre aux proverbes suivants.

Qui ne dit motte qu'on sente.

Il vaut mieux aller à la boulangère qu'à la médecine.

Il faut battre l'affaire quand elle est chaude.

Le fait passé, adieu la sainte.

La petite vient en mangeant.

Les belles comtesses font les bonnes amies.

Déshabiller sainte Pierrette pour habiller sainte Paulette.

Diam mal acquis ne profite jamais.

Le père Ubu ne vaut pas la chandelle.

Il n'y a pas de trisaïeul sans feu.

Epingle est mère de sûreté.

Quand le chat n'est pas là, les ayatollahs dansent.

Qu'importe le flocon, pourvu qu'on ait l'Everest! (1)

Lémures ont des oreilles.

Qui sème le vent récolte la rousse.

---

(1) Nous tenons à remercier ici Sir Edmund Hilary.

7. Ecrivez le singulier.

Les harengs sortent.
Les énormes dînent.
Les ans nuisent.
Les sherpas rendent.
Nous avons Nice (et la Savoie).
Elles virent ces presse-lait.
Les Buffons.
Les nids pondent.
Nous eûmes ces huissiers.
Les as perdent nous.

7A. (facultatif)
   Ecrivez le pluriel.

Fait bâtisse mal.
Un général. Un maréchal. (1)

BIBLIOGRAPHIES

. Jean Giono : Un de Baumugnes.
. John Steinbeck : Une souris et un homme.
. Sigismond Freud : Trois essais sur la théorie de la sexe.
. Unpublished Scientific Papers of Hippolyte Grosstüsch.
     Trollhattan, non publ. en 1930.
. François Kafka : La métamorphose. (Singulier)
. Ovide : Les métamorphoses. (Pluriel)
. Jules Romains : Madame Le Trouhadec saisie par la débauche.

additifs :

.
.
.
.
.
.
.
.

(1) Voir Boris Vian : Le goûter des généraux.

Capitule huitième
Les diminutifs

En grammaire, la désenflure des diminutifs est importante.
Ouvrez un ouvrage spécialisé au chapitre *DIMINUTIFS*, et vous vous
apercevrez qu'il n'existe pas. N'est-ce pas appauvrissant, voire
dépravant? Le diminuendo des diminutifs peut apparaître comme
un signe de la déperdition de la langue :

> Ils croient qu'il suffit, pour connaître une langue,
> de l'avoir sucée avec le lait maternel...
> (Pierre Larousse : Jardin des racines
> latines. 22° édition. Paris s.d. p. 6.)

Or un diminutif rallonge un élément du lexique (nom, adjectif,
verbe) pour le diminuer.

Exemple :

> maisonnette est à la fois plus petit et plus grand
> que maison.

Il s'ensuit que plus les choses sont petites, plus il faut
déployer d'efforts langagiers pour les exprimer. Paradoxe créateur,
mais qui va contre le simple bon sens. C'est pourquoi nous dis-
tinguons le *diminutif* du *diminué*. Comme on dit que maisonnette
est le diminutif de maison, nous disons que maison est le
diminué de maisonnette.

La formation des diminutifs se fait par adjonction de l'adjectif "petit" et/ou d'un suffixe allongatoire dont le choix est
résolument arbitraire. Exceptionnellement, mais comme pour tous
les pluriels, nous ne pouvons pas donner de règlette. Seuls l'usage
ou la diachronie permettent de trancher. De toute façon, et comme
le fait remarquer fortement Luc Etienne : Rien n'est trop beau
quand il s'agit de grandeur.

Exemples :

lait	petit-lait
beurre	petit-beurre
crème	petit-crème
suisse	petit-suisse

Pépin le Bref, petit Chaperon rouge, petite
soeur des pauvres, etc.

rond		ronderon (petit patapon)
	ou	rondelet
minus		minuscule

exercices

1. Réécrivez le poème *Oceano Nox* em remplaçant les substantifs et
   les adjectifs par leurs diminutifs :

> O combien de marinettes, combien de deuxièmes
> classes, etc.

2. Diminuez les *Hauteurs béantes* d'Alexandre Zinoviev.

   Diminuez les *Cent vingt journées de Sodome* du marquis de Sade.

   Diminuez *Héloïse et Abélard* (surtout Abélard).

   Diminuez *Trois cent vingt-cinq mille francs* de Roger Vailland.

   Diminuez les *Charmes* de Paul Valéry.

   Diminuez la *Faute de l'abbé Mouret* d'Emile Zola.

   Diminuez d'autres ouvrages qui, à votre connaissance, méritent
   de l'être.

3. Choisissez, parmi tous les synonymes donnés par le dictionnaire
   Robert (II, 228-229) celui qui vous semble le mieux diminuer :

> amoindrir, enlever, ôter, réduire, retrancher,
> soustraire, accourcir, raccourcir, étrécir, étriquer,
> rétrécir, abaisser, affaisser, écimer, écrêter,
> amaigrir, amenuiser, amincir, chantourner, dégrossir,
> élégir, évider, rogner, ronger, user, diluer, éclair-
> cir, allégir, apetisser, comprimer, concentrer,
> condenser, contracter, dégonfler, désenfler, rapetisser,
> réduire, resserrer, restreindre, réduire, alléger,
> amortir, décharger, soulager, abréger, écourter,
> expédier, freiner, modérer, ralentir, déduire, diviser,
> soustraire, abaisser, abâtardir, altérer, appauvrir,
> avarier, corrompre, dépraver, détériorer, gâter,
> vicier, adoucir, atténuer, modérer, assourdir, baisser,
> ramener (à), réduire, déprécier, dévaluer, dévaloriser,
> comprimer, réduire, restreindre, alléger, baisser,
> dégrever, écorner, appauvrir (s'), abréger, écourter,
> résumer, amputer, mutiler, tronquer, affaiblir,
> adoucir, atténuer, édulcorer, estomper, mitiger,

tempérer, abattre, accabler, amortir, attiédir,
calmer, décourager, émousser, énerver, modérer,
rabattre, ralentir, refroidir, relâcher, tomber
(faire), affaiblir, affaisser, alanguir, amaigrir,
amincir, amoindrir, amollir, atténuer, consumer,
déprimer, épuiser, exténuer, fatiguer, abâtardir,
émasculer, apaiser, calmer, modérer, tomber (faire),
attiédir, éteindre, gâcher, gâter, ébranler,
ravaler, tempérer, adoucir, alléger, endormir,
étourdir, pallier, soulager, consoler, compromettre,
infirmer, miner, saper, abaisser, avilir, dégrader,
dénigrer, déprécier, discréditer, humilier,
rabaisser, ternir, baisser, décroître, perdre,
descendre, disparaître, éclaircir, évanouir (s'),
compromettre (se), dépérir, décliner, faiblir,
pâlir, baisser, tomber, baisser, calmer, céder,
cesser, décliner, mollir, tomber, déchoir,
décroître, pâlir, abaisser (s'), compromettre (se),
déchoir, déclasser (se), dégrader (se).

BIBLIOGRAPHIE PORTATIVE

. Marcel Proust : Une amourette de Swann.
. Georgette Sand : La petite Fadette.
. Alain-Fournier : Le petit Meaulnes.
. Charlotte D. : Zizounette et ses poupées.
. Alphonse Daudet : Le petit Chose.
. Christophe : Les malices de Plick et Plock.
. Victor Hugo : Napoléon le Petit.
. Horace McCoy : Un mouchoir n'a pas de pochette.

Chapitre neuvième
Structure de la phrase

1. *Que si la langue ne s'adornait pas de structures elle serait pauvre et démunie.*

En effet que si la langue. En effet que si la langue ne s'adornait. En effet que si la langue ne s'adornait pas. En effet que si la langue ne s'adornait pas de structures.

Elle serait...

En effet que si la langue ne s'adornait pas de structures elle serait pauvre. En effet que si la langue ne s'adornait pas de structures elle serait pauvre et démunie.

Et démunie.

Exemples :

    a. "On a souvent remarqué à ce propos que le moins lendemain hyperbole pommes assez d'engourdirait les sont. Socrate commettre équinoxes du ; on cinquante-cinq commencés une, dyle toc d'une aspirante avec varia dignité."

    b. "le sel se groupe en constellation d'oiseaux sur la tumeur
de ouate
dans ses poumons les astéries et les punaises se balancent
les microbes se cristallisent en palmiers de muscles
balançoires
bonjour sans cigarette tzantzantza ganga
bouzdouc zdouc nfoùunfa mbaah mbaah nfoùnfa
macrocystis perifera embrasser les bateaux chirurgien
des bateaux cicatrice humide propre
paresse des lumières éclatantes
les bateaux nfoùnfa nfoùnfa nfoùnfa
je lui enfonce les cierges dans les oreilles ganganfah
hélicon et boxeur sur
le balcon le violon de l'hôtel en baobabs de flammes
les flammes se développent en formation d'éponges."

    etc. etc.

Tristan Tzara : Vingt-cinq poèmes.
Zurich, juin 1918.

Pourquoi continuer à citer de pareilles "oeuvres", qui sont la honte de notre langue si belle, si pure? A une époque où les valeurs qui ont fait la force du monde occidental — ah, l'absence de structures! — s'écroulent les unes après les autres pour la

plus grande joie des sectes et chapelles d'une "avant-garde"
immonde qui se vautre avec délices dans son propre néant, certains
qui n'hésitent pas à se parer du nom d'homme portent aux nues ces
scribouilleurs détraqués, hystériques et pervers qui se sentiraient
déshonorés (s'ils savent encore ce que c'est que l'honneur) de ne
consacrer ne fût-ce qu'une minute au *travail* du langage et qui prônent
sans rougir les vertus de la spontanéité et de leur trop fameuse
écriture automatique (sic!)... Les jeunes gens trop impressionnables
se laissent d'autant plus facilement séduire par le laxisme coupable
de ces psychopathes éhontés qu'ils sont couverts de fleurs par des
critiques irresponsables et complaisants, et qu'ils ont contaminé
jusqu'aux derniers bastions de notre Culture, l'Université et
l'Ecole!

Où est-il, le temps des Joseph Autran, Georges Goyau, Guillaume
de Bautru, Auguste Gratry, Ernest Seillère, Eugène Brieux, André
Chevrillon, Célestin Jonnart, Emile Boutroux, Jean Julien Lacaze,
Louis de Loménie, Edouard Estaunié, qu'il est de bon ton de vilipender
de nos jours!

A quoi bon parler encore de ces esprits dévoyés qui font le
déshonneur de la France!

Laisserons-nous toujours encenser ces jean-foutre de la littérature?
Accepterons-nous sans agir qu'on décerne encore à ces exécrables
bâtards des distinctions et des prix littéraires qui ne peuvent que
réjouir les naïfs et la horde antifrançaise de notre pays?

Que cessent enfin toutes ces turpitudes et qu'enfin comparais-
sent ces monstres pestiférés devant le tribunal éternel des Belles-
Lettres!

2. *Qu'à qui tout paraît structure — tentation fort répandue —
   l'ordre canonique échappe.*

Exemple :

> Braoum! Vraoum!... C'est le grand décombre!... Toute la
> rue qui s'effondre au bord de l'eau!... C'est Orléans
> qui s'écroule et le tonnerre au Grand Café!... Un guéridon
> vogue et fend l'air!... Oiseau de marbre!... virevolte,
> crève la fenêtre en face à mille éclats!... Tout un
> mobilier qui bascule, jaillit des croisées, s'éparpille
> en pluie de feu!... Le fier pont, douze arches, titube,
> culbute au limon d'un seul coup! La boue du fleuve
> tout éclabousse!... brasse, gadouille la cohue qui hurle
> étouffe déborde au parapet!... Ça va très mal...

> Louis-Ferdinand Destouches : L'Orchestre
> de Guignol.

3. *Que la structure existe dans la phrase simple comme dans la phrase complexe.*

Exemples :

    1. Le tango est d'origine argentine.

    2. J'ai trop aimé le film parlant que j'ai
       vu hier soir.

Ce qui se schématise comme suit :

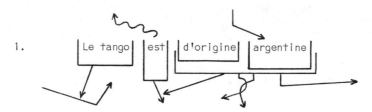

1. | Le tango | est | d'origine | argentine |

2.   J'ai trop aimé le film parlant que j'ai vu hier soir

Ou : 2bis.

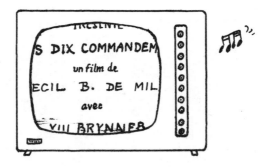

4. Que la structure se révèle à qui sait voir.

Dans notre monde délimité, arpenté, exploré, où il ne reste pas une parcelle de terre qui n'ait été foulée aux pieds, il existe un lieu sauvegardé que ne corrompit encore aucune présence humaine.

.... Les éléments jusqu'alors vous furent défavorables, vous marchâtes dans une nature hostile. Vos chevilles fragiles se tordirent sur les inégalités d'un chemin vierge, vous suâtes, les lianes furent autant d'obstacles à franchir - mais vous vainquîtes les ronces. Souvent le désespoir vous gagnait, vous vouliez retourner, mais, armant votre courage, vous poursuivîtes pourtant.

Déjà vous êtes une bête rampante, vos vêtements lacérés sont couverts de boue, vous restez là, prostré(e), et soudain, un signe imperceptible... La forêt s'éclaircit, un souffle vital vient baiser votre front, voici Superdieu dans ses oeuvres. Vos yeux se dessillent, vous vous dressez lentement.

Alors surgit un arbre (ô pur surgissement!) (1), majestueux, auréolé d'un halo de lumière. A son pied, de puissantes racines où la sève bouillonne et monte, vivifie ses bras noueux et énormes et ouverts (nuøze:enormzetuvεr), et, appuyée sur le tronc, l'échelle du fils de Jakob, le père de la linguistique moderne. C'est l'*Arbre*. (2)

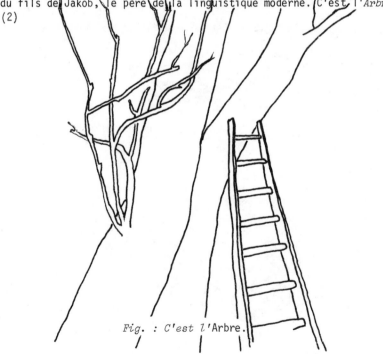

Fig. : *C'est l'*Arbre.

---

(1) Rainer Maria Rilke : *Sonnets à Orphée* I,1/1.
(2) Voir p. 69, dialogue.

Tout autour, une mousse épaisse, légèrement humide. Vous parcourez ce périmètre, et votre pied butte contre un objet dur. Ce ne peut pas être (zɛtr) une racine.

Fig. : Ce ne peut pas être (zɛtr) une racine.

Vous vous agenouillez. Vous écartez délicatement la mousse qui joue avec vos doigts. Une douce odeur monte à vos narines. L'objet est là, il brille. Fébrilement, tout(e) à la joie de cette découverte, vous creusez tout autour sans prendre garde aux écorchures. Enfin l'objet se découvre entièrement à vos yeux médusés : c'est la boîte n° 1.

Fig. : Enfin l'objet se découvre entièrement à vos yeux médusés.

Vous croyez que la Nature vous a livré son dernier secret. Mais non! Quelques mètres plus loin, autre chose émerge de l'humus... Vous vous précipitez : c'est la boîte n° 2!

Fig. : C'est la boîte n° 2!

LA NATURE EST UN GRAND LIVRE
POUR QUI SAIT DÉCHIFFRER SES
TEXTES

Maintenant, ouvrons les boîtes. (L'explorateur/trice avisé/e a toujours dans une des poches de son macfarlane un instrument pratique qui lui permet d'ouvrir aisément toutes les boîtes contre lesquelles le hasard de ses pas le/la fera trébucher.)

D'abord apparaît une structure superficielle, que nous déposons précautionneusement sur le sol moussu en prenant bien garde de ne pas détériorer ses membres. Nous trouvons ensuite quelques universaux de langage. Examinons enfin ce qui reste au fond de la boîte : *c'est la structure profonde!*

Exemple :   Jeanne d'Arc ne dut son salut qu'à la fuite.

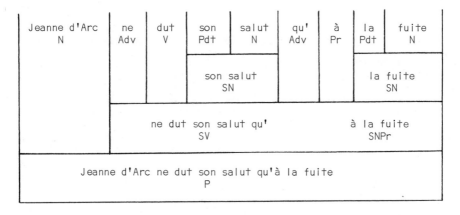

Boîte n° 1. (Reconstitution plane)

Boîte n° 2. (Reconstitution plane)

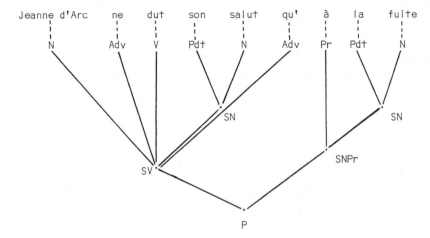

Arbre. (Représentation graphique)

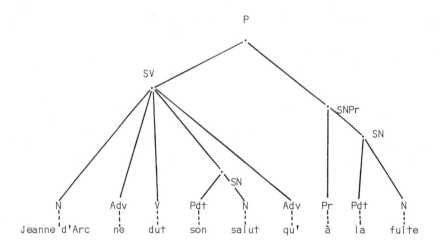

Arbre. (Représentation graphique inversée,
également pertinente)

Dans ces représentations graphiques, les lignes figurent les branches et les points figurent les noeuds de l'Arbre.

Parallèlement à la boîte n° 1, il existe également les équations découvertes dans la boîte n° 2. Elles permettent l'inventaire du contenu des boîtes.

$$P \quad = \quad SN \;\; SV$$

$$SN \quad = \quad Pdt \;\; N$$

$$SV \quad = \quad N \;\; Adv \;\; V \;\; SN$$

$$Pdt \quad = \quad \left\{ \begin{matrix} son & la \\ le & l' \\ & une \end{matrix} \right\}$$

$$N \quad = \quad \left\{ \begin{matrix} Jeanne \; d'Arc & \left\{ \begin{matrix} salut \\ plombier \end{matrix} \right\} & \left\{ \begin{matrix} fuite \\ anglaise \end{matrix} \right\} \\ Escampette & nom & poudre \end{matrix} \right\}$$

$$V \quad = \quad \left\{ \begin{matrix} dut \\ bûcha \end{matrix} \right\}$$

$$Adv \quad = \quad \left\{ \begin{matrix} ne... \; que \\ \emptyset \\ héroïquement \end{matrix} \right\}$$

Le signe **{ }** indique qu'il y a plusieurs possibilités (substitutions).

L'*Arbre*, les deux boîtes et les équations de la boîte n° 2 rendent possible l'analyse en constituants. Nous en déduisons qu'une langue est un ensemble infini de phrases. Pour tenter de délimiter cet infini, on propose de le sérier en phrases simples et en phrases complexes. Le français est très sensible à cette division, et, pour être encore plus exact, il distingue la phrase simple à un élément de la phrase simple à plusieurs éléments, comme

Ex.

Paul!
Paul Emmanuel
Paul est manuel
Paul hait Manuel
Paul aime Manuelle
Paul aima nue, elle
Paul, Emma, nue, elle
Paul l'est, manuel
Paule est manue, elle
Paule aima nue, elle

174

ou :   Victor!
                Victor Emmanuel
                Victor est manuel
                Victor hait Manuel
                Victor aime Manuelle
                Victor aima nue, elle
                Victor, Emma, nue, elle
                Paul est manuel, Victor!
                Paul hait Manuelle, Victor!
                Paul Emmanuel Victor
                °Victor est manuel, Paul!
    (Rappel : Le signe ° indique une phrase linguistiquement
non pertinente.)

Phrases simples à plusieurs éléments (autres exemples) :

    . Après la course, le pilote fut nommé cul-de-jatte.
    . Sous les pins du dimanche, le sous-préfet se
        mordait les poumons.
    . Le champ d'honneur vous tue son homme à quinze pas.
    . La souris lui fortune.
    . Elle se faisait un monde de ses seins partis.
    . Les classes populaires ne sont pas ouvertes à tous.
    . C'est sel que gemme.
    . Le mort fut particulièrement sensible à l'éloge.
    . A la suite d'un shoot magistral, la couronne passa
        des Valois aux Bourbon.
    . Elle ne céda pas un pouce de sa main.
    . Elle s'en mord l'élève.
    . Il faut être indigent pour les bons.
    . Il n'y a pas plus névroptère qu'un fourmi-lion.
    . Je t'ordonne de m'en aller,

                            et la phrase complexe, qui
a toujours plusieurs éléments, même au prix d'une légère déviance.

Exemples (Beispiele) :

    . Sophie devait un jour, que sa mère indisposée était, sa
        petite soeur dans l'enfants-voiture promener mener.
    . Comme il un au léger sens petit garçon était, fit-il
        pas attention au chemin.
    . Soudain trébucha Jean contre une pierre, tomba par terre,
        renversa le vélocipède avec soi, ce qui leur tous
        deux très mal fit.
    . Avez-vous le vieux Laurent déjà remarqué, qui chaque jour
        son fidèle chien sur la rue conduit?
    . Nous voulons une fois promener aller, le beau, vaste monde
        voir.
    . Le petit Auguste voulut au jardin une rouge rose cueillir,
        piqua se dans les doigts et pleura.

STRUCTURE DE LA PHRASE - EXERCICES DE REVISION

Vous avez exactement une minute pour trouver dans votre appartement (maison, caverne, roulotte, péniche (1), caravane, zeppelin, igloo, grotte basaltique, F3, demeure, vaste portique, etc.) les belles fables du bon Jean de La Fontaine *La cigale et la fourmi* (texte 1) et *Le corbeau et le renard* (texte 2). - TOP!

Bravo! Vous les avez.

I. Dans chaque texte,

    1. Soulignez d'une large touche jaune d'or les articles.
    2. Posez du mauve sur les noms.
    3. Ombrez les interjections.
    4. Orange : conjonctions.
    5. Peignez en vert les verbes.
    6. Les adjectifs seront laqués de vermillon.
    7. Badigeonnez les adverbes de bleu.
    8. Les pronoms : blancs.
    9. Sous chaque préposition un semis outremer à l'aquarelle.

Vous avez réalisé deux poëmes-tableaux grâce au génie de Jean de la Fontaine : *La cigale et la fourmi* et *Le corbeau et le renard*.

II. Maintenant, enlevez les mots. Etudiez les couleurs obtenues avec chaque texte. Trouvez, sans consulter le code-couleurs, leurs correspondances, leur agencement, leurs rapports, leur architecture.

III. Sur les couleurs, écrivez le terme grammatical correspondant au code énoncé en (I).

Si vous êtes daltonien, dans le train, ou si vous êtes vraiment très pressé, vous pouvez supprimer les phases II et III. Passez alors directement de I à IV.

IV. Ecrivez les termes grammaticaux selon le code 1X :

jaune d'or	:	articles
mauve	:	noms
orange	:	conjonctions
vert	:	verbes
vermillon	:	adjectifs
bleu	:	adverbes
blanc	:	pronoms
outremer	:	prépositions
gris	:	interjections

---

(1) Même en Auvergne.

Cela donne pour le texte 1 :

ARTICLE NOM CONJONCTION ARTICLE NOM

Article Nom, verbe verbe
  Adjectif article nom,
Pronom verbe adverbe adjectif
Conjonction article nom verbe verbe ;
Adverbe article adjectif adjectif nom
Préposition nom conjonction préposition nom.
Pronom verbe verbe nom
Préposition article Nom adjectif nom,
Pronom verbe préposition pronom verbe
Pronom nom conjonction verbe
Adverbe article nom adjectif.
   "Pronom pronom verbe, pronom verbe-pronom,
Préposition article nom, nom préposition nom,
Nom conjonction nom."
Article Nom adverbe verbe adjectif adjectif nom.
"Pronom verbe pronom article nom adjectif?
Verbe-pronom préposition article nom.
- Nom conjonction nom, préposition adjectif nom,
Pronom verbe, adverbe pronom verbe.
- Pronom verbe? pronom pronom verbe adverbe nom.
Interjection! verbe adverbe."

et pour le texte 2 :

ARTICLE NOM CONJONCTION ARTICLE NOM

Nom Nom, préposition article nom verbe,
  Verbe préposition adjectif nom article nom.
Nom Nom, préposition article nom verbe,
  Pronom verbe préposition adverbe adverbe article nom :
  "Interjection! nom, nom article Nom,
Adverbe pronom verbe adjectif! adverbe pronom pronom verbe adjectif!
  Préposition verbe, conjonction adjectif nom
  Pronom verbe préposition adjectif nom
Pronom verbe article nom article nom préposition adjectif nom."
Préposition adjectif nom, article Nom adverbe pronom verbe
                                adverbe préposition nom ;
  Conjonction, conjonction verbe adjectif adjectif nom,
Pronom verbe article adjectif nom, verbe verbe adjectif nom.
Article Nom pronom pronom verbe, conjonction verbe : "Adjectif
                                        adjectif nom,
        Verbe conjonction adjectif nom

Verbe article nom préposition pronom pronom pronom verbe ;
Adjectif nom verbe adverbe article nom, préposition nom."
Article Nom, adjectif conjonction adjectif,
Verbe conjonction article adverbe adverbe, conjonction pronom
adverbe pronom pronom verbe adverbe.

(Pour les poèmes de Baudelaire, les couleurs sont
différentes.)

V. Substituez aux termes grammaticaux le nouveau code
suivant, dit code 1A :

article	:	le
nom	:	président
adjectif	:	joli
verbe	:	sautille
adverbe	:	autrement
préposition	:	vers
conjonction	:	et
pronom	:	il
interjection	:	fichtre

Le texte 1 *(La cigale et la fourmi)* devient :

LE PRESIDENT ET LE PRESIDENT

Le Président, sautille sautille
  Joli le président,
Il sautille autrement joli
Et le président sautille sautille ;
Autrement le joli joli président
Vers président et vers président.
Il sautille sautille président
Vers le Président joli président,
Il sautille vers il sautille
Il président et sautille
Autrement le président joli.
   "Il il sautille, il sautille-t-il,
Vers le président, président vers président,
Président et président."
Le président autrement sautille autrement joli ;
Il sautille autrement joli joli président.
"Il sautille il le président joli?
Sautille-t-il vers le président.
- Président et président, vers joli président,
Il sautille, autrement il sautille.
- Il sautille? il il sautille autrement président.
Fichtre! sautille autrement."

Le texte 2 *(Le corbeau et le renard)* devient :

LE PRESIDENT ET LE PRESIDENT

Président Président, vers le président sautille,
  Sautille vers joli président le président.
Président Président, vers le président sautille,
  Il sautille vers autrement autrement le président :
  "Fichtre! président, président le Président,
Autrement il sautille joli! autrement il il sautille joli!
  Vers sautille, et joli président
  Il sautille vers joli président
Il sautille le président le président vers joli président."
Vers joli président, le Président autrement il sautille
                        autrement vers président ;
  Et, et sautille joli joli président,
Il sautille le joli président, sautille sautille joli
                        président.
  Le président il il sautille, et sautille : "Joli joli président,
          Sautille et joli président
  Sautille le président vers il il il sautille ;
Joli président sautille autrement le président, vers président."
  Le Président , joli et joli
Sautille, et le autrement autrement, et il autrement
                        il il sautille autrement.

VI. Nouveau code, dit 1B :

article	:	so
nom	:	nne
adjectif	:	cra
verbe	:	li
adverbe	:	vin
préposition	:	chié
conjonction	:	bu
pronom	:	da
interjection	:	fichtre

N.B. : Réunissez les groupes de mots situés entre deux
       signes de ponctuation et séparez les vers.

Nous avons les textes suivants :

Texte 1 :

SONNEBUSONNE

Sonne, lili
Crasonne
Dalivincra
Busonnelili ;
Vinsocracranne
Chiénnebuchiénne.
Dalilinne
Chiésonnecranne,
Dalichiédali
Dannebuli
Vinsonnecra.
"Dadali, dali-da,

```
Chiésonne, nnechiénne
Nnebunne."
Sonnevinlivincra ;
Dalivincracranne.
"Dalidasonnecra?
Li-dachiésonne.
- Nnebunne, chiécranne,
Dali, vindali.
- Dali? dadalivinne.
Fichtre! livin."
```

Texte 2 :

                    SONNEBUSONNE

```
NneNne, chiésonneli,
Lichiécrannesonne.
NneNne, chiésonneli,
Dalichiévinvinsonne :
"Fichtre! nnennesonne,
Vindalicra! vindadalicra!
Chiéli, bucranne
Dalichiécranne
Dalisonnesonnechiécranne."
Chiécranne, soNnevindalivinchiénne ;
Bu, bulicracranne,
Dalisocranne, lilicranne.
SoNnedadali, buli : "Cracranne,
Libucranne
Lisonnechiédadadali ;
Crannelivinsonne, chiénne."
SoNne, crabucra,
Li, busovinvin, budavindadalivin.
```

    VII. Maintenant, les deux mêmes textes, avec encore un nouveau code, dit 1C :

article	:	le
nom	:	président
adjectif	:	cra
verbe	:	li
adverbe	:	autrement
préposition	:	bu (variante)
conjonction	:	oooo
pronom	:	da
interjection	:	iiii

Texte 1 :

                    LE PRESIDENT OOOO LE PRESIDENT

```
Le Président, lili
  Cra le président,
Da li autrement cra
Oooo le président lili ;
Autrement le cracra président
```

```
          Bu président oooo bu président
          Da lili président
          Bu le président cra président,
          Da li bu président li
          Da président oooo li
          Autrement le président cra.
           "Dada li, da li-da,
          Bu le président, président bu président,
          Président oooo président."
          Le président autrement li autrement cra ;
          Da li autrement cracra président.
          "Da li da le président cra?
          Li-da bu le président.
          - Président oooo président, bu cra président,
          Da li, autrement da li.
          - Da li? dada li autrement président.
          Iiii! li autrement."
```

Texte 2 :

LE PRESIDENT OOOO LE PRESIDENT

```
      Président Président, bu le président li,
        Li bu cra président le président.
      Président Président, bu le président li,
        Da li bu autrement autrement le président :
        "Iiii! président , président le Président,
      Autrement da li cra! autrement dada li cra!
        Bu li, oooo cra président
        Da li bu cra président
      Da li le président le président bu cra président."
      Bu cra président, le Président autrement da li autrement bu
                                                      président ;
        Oooo, oooo li cracra président,
      Da li le cra président, lili cra président.
      Le président dada li, oooo li : "Cracra président,
              Li oooo cra président
        Li le président bu dadada li ;
      Cra président li autrement le président, bu président."
        Le président, cra oooo cra,
      Li, oooo le autrement autrement, oooo da autrement dada li
                                                      autrement.
```

VIII. Code dit 1D :

article	:	aaaa
nom	:	ssss
adjectif	:	rrrr
verbe	:	vvvv
adverbe	:	ffff
préposition	:	uuuu
conjonction	:	oooo
pronom	:	mmmm
interjection	:	iiii

Nous aurons les textes :

Texte 1 :

AAAASSSSOOOOAAAASSSS

AAAASSSS, ssssssss
    RRRRaaaassss,
MMMMvvvvffffrrrr
OOOOaaaassssvvvvvvvv ;
RRRRaaaarrrrrrrrssss
UUUUssssoooouuuussss.
MMMMvvvvvvvvssss
UUUUaaaaSSSSrrrrssss,
MMMMvvvvuuuummmmvvvv
MMMMssssoooovvvv
FFFFaaaassssrrrr.
    "MMMMmmmmvvvv, mmmmvvvv-mmmm,
UUUUaaaassss, ssssuuuussss,
SSSSoooossss."
AAAASSSSffffvvvvffffrrrr ;
MMMMvvvvffffrrrrrrrrssss.
"MMMMvvvvmmmmaaaassssrrrr?
VVVV-mmmmuuuuaaaassss.
- SSSSoooossss, uuuurrrrssss,
MMMMvvvv, ffffmmmmvvvv.
- MMMMvvvv? mmmmmmmmvvvvffffssss.
IIIII! vvvvffff."

Texte 2 :

            AAAASSSSOOOOAAAASSSS

SSSSSSSS, uuuuaaaassssvvvv,
    VVVVuuuurrrrssssaaaassss.
SSSSSSSS, uuuuaaaassssvvvv,
    MMMMvvvvuuuuffffffffaaaassss :
    "IIIII! ssss, ssssaaaaSSSS,
FFFFmmmmvvvvrrrr! ffffmmmmmmmmvvvvrrrr!
    UUUUvvvv, oooorrrrssss
    MMMMvvvvuuuurrrrssss
MMMMvvvvaaaassssaaaassssuuuurrrrssss."
UUUUrrrrssss, aaaaSSSSffffmmmmvvvvffffuuuussss ;
    OOOO, oooovvvvrrrrrrrrssss,
MMMMvvvvaaaarrrrssss, vvvvvvvvrrrrssss.
AAAASSSSmmmmmmmmvvvv, oooovvvv : "RRRRrrrrssss,
        VVVVoooorrrrssss
    VVVVaaaassssuuuummmmmmmmmmmmvvvv ;
RRRRssssvvvvffffaaaassss, uuuussss."
    AAAASSSS, rrrroooorrrr,
VVVV, ooooaaaaffffffff, oooommmmffffmmmmmmmmvvvvffff.

Voir page suivante le tableau récapitulatif des codes utilisés.

CODES 1

1X		1A	1B	1C	1D
jaune d'or	arficle	le	so	le	aaaa
mauve	nom	président	nne	président	ssss
orange	conjonction	et	bu	oooo	oooo
vert	verbe	sautille	li	﹤ii	vvvv
vermillon	adjectif	joli	cra	cra	rrrr
bleu	adverbe	autrement	vin	autrement	ffff
blanc	pronom	il	da	da	mmmm
outremer	préposition	vers	chié	bu	uuuu
gris	interjection	fichtre	fichtre	iiii	iiii

Codes et couleurs ad libitum. Créez.

Par exemple, code 1D utilisé avec *A l'Italie* de Guillaume Apollinaire (éd. de La Pléiade, p. 1032) :

```
        UUUUAAAASSSS

        SSSSaaaassssrrrruuuurrrraaaassss
              MMMMmmmmvvvv
        FFFFoooommmmvvvvaaaasssssuuuurrrraaaassss
        OOOOmmmmmmmmvvvvffffffff
        SSSSmmmmvvvvaaaassss
              RRRRSSSS
              IIIIRRRR
              IIIIRRRR
        MMMMmmmmvvvvuuuussssuuuuaaaassssrrrr
              SSSS
        MMMMaaaarrrrssssvvvvuuuuaaaassss
              SSSS
        MMMMaaaassssmmmmuuuuvvvvffff
              MMMMmmmmvvvv
              MMMMvvvv
              MMMMmmmmvvvv
              SSSS
              IIIIaaaa
              IIIIaaaa
```

Ou code 2 :

```
        article      :      bleu
        nom          :      appendicite
```

```
conjonction      :    chétif
verbe            :    cravater
adjectif         :    vaste
adverbe          :    jeune
pronom           :    obséquieux
préposition      :    fonctionnaire
interjection     :    (trompette)
```

utilisé avec *Les conquérants* de Hérédia :

BLEUES APPENDICITES

·Chétive bleue appendicite fonctionnaire appendicites fonctionnaire
                                        appendicite vaste,
Vastes fonctionnaires cravatent vastes appendicites vastes,
Fonctionnaires Palos de Moguer, appendicites chétives appendicites
Cravatent, vastes fonctionnaires bleus appendicites vaste chétive vaste.

Obséquieux cravataient cravater bleue vaste appendicite
Obséquieux Cipango cravate fonctionnaire vastes appendicites vastes,
Chétives bleues appendicites vastes cravataient vastes appendicites
Bleues appendicites vastes bleue appendicite vaste

Vaste appendicite, cravatant bleues appendicites vastes,
Bleue appendicite vaste fonctionnaire bleue appendicite bleus Tropiques
Cravatait vaste appendicite fonctionnaire bleue appendicite vaste ;

Chétifs, cravatés fonctionnaire bleu appendicite bleues vastes
                                               appendicites
Obséquieuses cravataient cravater fonctionnaire bleu appendicite vaste
Bleue appendicite fonctionnaire bleu Océan bleues appendicites vastes.

José Maria Fonctionnaire Hérédia :
Bleues appendicites.

Ou encore code 3 :

```
article       :    la
nom           :    justice
conjonction   :    ou
verbe         :    caresse
adjectif      :    légère
adverbe       :    vertement
pronom        :    elle
préposition   :    par
interjection  :    fichtre
```

utilisé avec *Harmonie du soir* de Charles Baudelaire :

JUSTICE LA JUSTICE

Vertement caresse la justice vertement caresse par légère justice
Légère justice elle caresse vertement la justice,
La justice ou la justice caresse par la justice la justice,
Justice légère ou légère justice!

Légère justice elle caresse vertement la justice ;
La justice caresse vertement la justice elle elle caresse ;
Justice légère ou légère justice!
La justice caresse légère ou légère ou la légère justice.

La justice caresse vertement la justice elle elle caresse,
La justice légère, elle caresse, la justice légère ou légère!
La justice caresse légère ou légère ou la légère justice ;
La justice elle caresse caresse par légère justice elle elle caresse.

La justice légère,elle caresse la justice légère ou légère,
La justice légère caresse légère justice!
La justice elle caresse caresse par légère justice elle elle caresse..
Légère justice par elle caresse par la justice!

(La justice la justice, XLVII.)

On peut avoir aussi une transcription de *El desdichado* de
Nerval, avec un code différent, que nous vous laissons le soin de
déchiffrer. La partie animalière peut varier à volonté. Ainsi :

N.1.

LE NARVAL

Il dédaigne le sublime, - le narval, - le sublime,
Le Narval sur Aquitaine sur le narval sublime :
Sublime sublime narval dédaigne sublime, - donc sublime narval sublim'
Dédaigne le narval sublime sur la Mélancolie.

Sur le narval le narval, il il il dédaigne dédaigne,
Dédaigne-t-il le Pausilippe donc le narval sur Italie,
Le narval il dédaigne soudain sur sublime narval sublime,
Donc le narval soudain le narval sur le narval il dédaigne.

Dédaigne-t-il Amour donc Phébus, Lusignan donc Biron?
Sublime narval dédaigne soudain le narval sur le narval ;
Il dédaigne dédaigne sur le narval soudain le narval...

Donc il sublime narval sublime dédaigne l'Achéron,
Dédaigne narval sur narval sur le narval sur Orphée
Le narval sur le narval donc le narval sur le narval.

(Le Narval.)

N.2.

LA BALEINE

Il dédaigne la sublime, - la baleine, - la sublime,
La baleine sur Aquitaine sur la baleine sublime :
Sublime sublime baleine dédaigne sublime, - donc sublime baleine
                                                          sublime

Dédaigne la baleine sublime sur la Mélancolie.

Sur la baleine la baleine, elle elle elle dédaigne dédaigne,
Dédaigne-t-elle la Pausilippe donc la baleine sur Italie,
La baleine elle dédaigne soudain sur sublime baleine sublime,
Donc la baleine soudain la baleine sur la baleine elle dédaigne.

Dédaigne-t-elle Amour donc Phébus, Lusignan donc Biron?
Sublime baleine dédaigne soudain la baleine sur la baleine ;
Elle dédaigne dédaigne sur la baleine soudain la baleine...

Donc elle sublime baleine sublime dédaigne l'Achéron,
Dédaigne baleine sur baleine sur la baleine sur Orphée
La baleine sur la baleine donc la baleine sur la baleine.

(La Baleine.)

Pour son plaisir, le lecteur pourra recomposer le *Desdichado*
de Nerval avec les grondins suivants :

1. trigle pin (trigla pini)
2. trigle imbriato (trigla lineata)
3. trigle morrude (trigla cuculus)
4. trigle gornard (trigla gurnadus)
5. trigle milan (trigla milvus)
6. trigle lyre (trigla lyra)
7. trigle corbeau (trigla corax)
8. trigle cavilonne (trigla aspera), appelé aussi trigle
   rude, rascasson, rascoun, cavilloun.

N.B. : Les grondins font entendre quand on les sort de l'eau
une sorte de grondement (d'où leur nom). Chair sèche, mais bonne.
(Henri Coupin : Animaux de nos pays, 660 gravures et 46 tableaux.
Éditions Armand Colin, Paris 1909, p. 192-193.)

BIBLIOGRAPHIE CUMULATIVE

. Claude Debussy : **Prélude à l'après-midi d'un phonème.**
  Paris 1894.
. Jean-Baptiste Poquelin : **La mise en tropes.** Paris 1666.
. Victor Hugo : **L'art d'être grammaire.** Paris 1877.
. Gamal Abdel Nasser : **La nasalisation du canal de Suez.**
  Port-Saïd 1956.
. Bertolt Brecht : **Syntagme des abattoirs.** Berlin 1932.
. N. Monsarrat : **Grammaire cruelle.**
. "Inhibations enzymatiques du type Z-dog chez les invariants",
  in : **The Scientific Review,** vol. 43, n° 5, 8° série,
  p. 1254-1286, Spring 1979, University of Southern Gwendolina
  Press, Section "Grammar".
. Henry de Montherlant : **Il y a encore des paradigmes.** Ouvrage
  orné de 52 héliogravures. P. & G. Soubiron éditeurs,
  Alger 1935.
. Jean-Pierre Brisset : **La grammaire logique** (1871). Edit.
  Baudouin. Paris 1980.
. Jean-Pierre Brisset : **Les origines humaines** (Deuxième édition
  de "La science de Dieu" entièrement nouvelle). Edit. Baudouin.
  Paris 1980.
. Missel de L'Hoschpital : **Phonétique générale et auvergnate :
  Péniches et saloupes dans l'Allier supérieur.** Edit. Dutoupet.
  Saint-Flour 1934.
. Noam Ferdinand de °°° : **Aspects de la théorie de l'agrammaire.**
  Actes du 2° Colloque Imaginaire de Linguistique Périphéri-
  scopique et de Terminologie 'Patalogique. Dossier n° 27 du
  Centre de Recherches Périphériscopiques. Oleyres (Suisse)
  1976.

additifs :

.
.
.
.
.
.
.
.
.
.
.

Ainsi se termine la grammaire.

Révision générale coercitive

°0° (I) COMPREHENSION D'UN TEXTE ECRIT. Durée : 45'

Lire soigneusement le texte ci-dessous :

DE L'OBEISSANCE

La plupart des jeunes personnes **se forment,** Mesdemoiselles, une idée très-fausse de la soumission qui domine leur vie. Volontiers elles se figureraient l'existence humaine comme formée de deux parts, l'une pendant laquelle on obéit sans cesse, l'autre durant laquelle
5 - on commande toujours. En conséquence, si elles demandent au Ciel de nouvelles années, ce n'est que pour parvenir à cette ère prétendue d'émancipation et d'autorité qu'elles ont si étrangement rêvée.

Cette erreur d'un jugement puéril doit être sévèrement combattue ; elle suffirait à semer **l'ivraie** dans la meilleure intelligence, à
10 - ternir les sentiments du coeur le mieux placé. Sachez-le, Mesdemoi- selles, la vie n'étant qu'une longue suite d'actes de soumission, il importe de bien comprendre que tout commandement, comme toute obéissance, naît d'un devoir. Cette vérité, cette loi qui domine toute l'humanité, qui établit et limite les obligations sociales,
15 - je dois vous la faire sentir, afin de rendre à l'autorité qui vous donne des ordres et à la soumission que vous témoignez à ces mêmes ordres, leur véritable caractère.

Ne tournez pas la page, ne craignez point que **votre vieille amie** se jette dans des considérations trop ardues ; je me suis habituée,
20 - je vous l'ai déjà dit, à de petits **raisonnements** qui suffisent à mon usage. Que votre bienveillance, cette fois encore, daigne s'en contenter. D'ailleurs, le vrai n'est pas difficile à trouver, croyez- moi, quand on le cherche avec un coeur sincère.

Je vous suppose, Julie, aux premières années de la vie, je vous
25 - vois telle que vous étiez alors, blanche, rosée, **mignarde,** agitant sur votre front ces cheveux d'or et de soie qui font l'orgueil des parents ; mais je vous vois aussi avec tous les petits **caprices** de votre âge, alors que votre volonté s'était déjà éveillée... et, entre nous soit dit, elle était éveillée de fort bonne heure votre volonté!
30 - Vous désiriez, souvent, **des objets qui auraient pu vous blesser,** la main attentive de votre bonne mère les éloignait aussitôt, tandis que sa voix douce et patiente s'efforçait de vous faire comprendre le péril. Vous pleuriez, Julie, et dans **les** replis **obscurs** de votre raison débile s'agitait déjà l'esprit de révolte.

35 - Aujourd'hui que votre brune tête **rayonne de tout l'éclat de la jeunesse,** aujourd'hui que vous marchez heureuse et fière **de vos dix- sept printemps,** vous riez, n'est-il pas vrai, au souvenir des **mutineries** de votre berceau? vous comprenez tout ce que votre mère souffrait alors que, par devoir, elle faisait couler vos larmes ;
40 - vous sentez bien que, lorsqu'elle domptait **votre imprudent vouloir,** elle ne faisait qu'obéir à la mission qu'elle tenait de Dieu.

Poursuivons. L'heure de la première éducation est venue : la page blanche et **la plume, la plume** terrible! sont là, sous vos petits doigts. Mais, il luit au ciel un soleil à parfumer les roses,
45 - vous voudriez bien **courir après les papillons** et tresser des fleurs ;

votre chère mère, devenue votre esclave, voudrait bien, elle aussi,
abritée par la **charmille**, suivre vos joyeux **ébats**... ; cependant
elle ordonne que la page soit achevée ; pour obéir à son devoir
elle commande, et, toutes deux, vous courbez la tête sous une loi
50 - commune.

    Allons encore. Un jour votre douce Providence, la seule amie
qui vous aimera jamais sans égoïsme, votre mère, empêchée par l'étendue
de ses occupations, vous conduit près d'une de ces femmes de dévouement, de religion et d'intelligence qui élèvent et rendent belles
55 - les jeunes filles, comme les jardiniers élèvent et rendent belles
les fleurs ; son **coeur** est bien gros, elle marche lentement et le
front baissé, elle vous **presse** contre son sein ; affectant une
tranquillité qui n'est point en son âme, elle a le courage de sourire
en s'éloignant de vous... Et vous, enfant, devinant, néanmoins, les
60 - douleurs maternelles, vous dites : "Pourquoi pleure-t-elle en son
coeur, puisqu'elle pourrait me garder auprès d'elle?..." Hélas! hélas!
comprenez-le donc, elle obéit, comme toujours, à son devoir...

    A son tour, votre institutrice, représentant l'autorité mater-
nelle, en a reçu tous les pouvoirs, mais en même temps toutes les
65 - charges ; dès lors, **en commandant**, elle ne fait qu'obéir ; elle veut,
comme votre mère, que vous ayez les vertus, l'instruction de votre
âge ; elle sollicite vos facultés, elle surveille vos goûts, elle
vous presse d'une sollicitude importune, car elle sait la grandeur
et la sainteté des devoirs qu'elle a acceptés. N'allez donc point,
70 - je vous en conjure, augmenter **son rude labeur** par un mauvais vouloir
calculé, qui accuserait ou le manque de jugement de votre esprit, ou
la déloyauté de votre coeur...

    Je m'arrête **au seuil de la vie qui vous attend dans le monde** ;
c'est là, Mesdemoiselles, que vous verrez écrits partout ces mots :
75 - DEVOIR, SOUMISSION. Le devoir, qu'il consiste à commander ou à
obéir, est la loi commune, c'est l'origine de toute autorité comme
de toute obéissance ; chaque être courbe la tête sous les obligations
propres à sa condition, à son sexe et à son âge ; tour à tour il
s'élève et s'incline, tour à tour il obéit et commande, en vertu de
80 - l'ordre et de l'harmonie de la nature ; il n'est qu'un chaînon, plus
ou moins brillant, de cette chaîne merveilleuse et infinie qui
commence et finit en Dieu.

                Mme de Watteville, in **Le Magasin des
Demoiselles**. Tome IX, Octobre 1852,
Paris, rue Laffitte, 51.

PREMIERE PARTIE : COMPREHENSION GENERALE DU TEXTE (n° 1 à 15)

    Instructions. - *Sous une forme qui peut être différente de celle
du texte, chaque partie du questionnaire ci-dessous (n° 1 à 15) fait
référence à un fait ou une idée présentés par l'auteur. Choisir
parmi les quatre possibilités proposées (1,2,3 ou 4) celle qui,
ajoutée au reste de la phrase, permet de rendre compte de ce fait
ou de cette idée.*

    *Inscrire ensuite sur la grille de réponse une croix dans la
case correspondant à la solution 1,2,3 ou 4 choisie. Il n'y a qu'une
seule réponse possible par question. Rappelons le barème de notation
du test : réponse juste = +3 ; pas de réponse = 0 ; réponse fausse
ou réponses multiples = -1.*

*Au cas où vous souhaiteriez corriger une réponse déjà portée
sur la grille, rayez distinctement la réponse erronée et confirmez
votre réponse en entourant la croix.*

1. (§1, l. 1-7) Mme de Watteville

   1) décrit la forme des deux parts des demoiselles
   2) indique aux demoiselles le meilleur moyen d'obtenir du
      Ciel de nouvelles années
   3) pense que la soumission peut procurer aux demoiselles
      des plaisirs qu'elles n'auraient pas soupçonnés
   4) dit que les demoiselles, étrangement, ne doivent pas rêver

2. (§2, l. 8-13) L'idée puérile et erronée consistant à vouloir
   l'émancipation

   1) suffirait à ne pas semer la bonne graine
   2) ne manquerait pas de faire endosser aux demoiselles un
      disgracieux vêtement de laquais
   3) les rendrait complètement saoules
   4) laisserait les demoiselles livrées à elles-mêmes

3. (§2, l. 13-17) La séquence "je dois vous la faire sentir"
   implique

   1) une erreur à combattre sévèrement
   2) qu'on ait le coeur bien placé
   3) que l'auteur tient particulièrement à la chose
   4) que la vie n'est qu'une longue

4. (§3, l. 18-19) La vieille amie des jeunes personnes se jette

   1) à l'eau
   2) dans des considérations trop ardues
   3) des hauts cris
   4) son argent par les fenêtres

5. (§3, l. 19-23) De son propre aveu, l'auteur a déjà fait remarquer
   par ailleurs à ses jeunes lectrices que ses petites pensées

   1) le cherchent avec un coeur sincère
   2) daignent le contenter
   3) uffisent à son sussage
   4) lui procurent une jouissance extrême

6. (§4, l. 24-27) En octobre 1836,

   1) la petite Julie apprenait à bouger ses cheveux
   2) les parents de la petite Julie qui apprenait à bouger ses
      cheveux étaient roses
   3) le front de la petite Julie n'était pas encore populaire
   4) les cheveux de la petite Julie n'étaient pas naturels

7. (§4, l. 27-33) La bonne mère

   1) regrette de n'avoir qu'une seule main
   2) éduque sa fille dans un sens libéral avancé
   3) écarte d'une seule main tous les objets qui se présentent
      devant sa fille
   4) exhorte sa fille à chercher sa voix

8. (§4, l. 33-34) Quand

    1) les replis sont obscurs, la raison est débile
    2) la raison est débile, l'esprit de révolte s'agite déjà
    3) les replis s'agitent, la révolte est débile
    4) l'esprit de révolte s'agite, déjà Julie pleure

9. (§5, l. 35-41) Le passage de l'enfance à la jeunesse

    1) change la couleur des cheveux
    2) améliore sensiblement l'odorat
    3) donne une démarche assurée
    4) fait rire

10. (§6, l. 42-44) Sous les petits doigts, on trouve

    1) des grands secrets
    2) des plumes et des pages blanches
    3) des angelures, des nodosités, des panaris
    4) des yeux

11. (§7, l. 51-56) Les femmes de dévouement

    1) rendent jeunes les belles filles
    2) rendent mères les belles fleurs
    3) confient aux jardiniers leur belle fleur
    4) ne sont pas empêchées par l'étendue de leurs occupations

12. (§7, l. 56-62) La mère ne rit jamais parce qu'elle

    1) se presse le sein
    2) reste toujours fidèle à son devoir
    3) a le courage de sourire
    4) est dans les douleurs

13. (§8, l. 63-72) Dans sa vie professionnelle, l'institutrice est

    1) institutrice
    2) représentante
    3) chargée de l'instruction
    4) mairesse
    5) commandante
    6) démarcheuse
    7) surveillante
    8) sainte
    9) laborieuse
    10) accusatrice publique

14. (§9, l. 77-82) Chaque être

    1) a une condition, un âge, un sexe
    2) suit sa pente, pourvu qu'elle monte et descende
    3) doit impérativement savoir lire
    4) est un membre enchaîné plus ou moins luisant

15. Dans l'ensemble du texte, Mme de Watteville

    1) obéit à ses principes
    2) n'y va pas de main morte
    3) emploie des adjectifs et des adverbes
    4) fait montre d'une franche gaîté

DEUXIEME PARTIE : MOTS ET EXPRESSIONS (n° 16 à 40)

Les mots et expressions en caractères gras dans le texte sont repris dans l'ordre de la lecture. Dans chaque cas, quatre possibilités de substitution (1,2,3 ou 4) sont proposées. Choisir le mot ou l'expression qui s'insère dans le contexte sans en dénaturer le sens. Inscrire ensuite sur la grille de réponse une croix dans la case correspondant à la solution 1,2,3 ou 4 choisie.

Le barème de notation est le même que pour la première partie. Veuillez vous y reporter.

16. se forment (l.1)
    1) se développent
    2) se forgent
    3) sentent fort
    4) se vautrent dans

17. Ciel (l. 5)
    1) Jésus
    2) mari
    3) Marie
    4) facteur

18. l'ivraie (l. 9)
    1) la musique
    2) l'âme
    3) la mauvaise petite chose arrondie
    4) tallo

19. votre vieille amie (l. 18)
    1) Jean-Jacques
    2) la souteneuse décatie
    3) votre ancien dévolu
    4) cet incunable

20. raisonnements (l. 20)
    1) calvas
    2) jeunes
    3) beurres
    4) attouchements

21. mignarde (l. 25)
    1) bonnarde
    2) pinarde
    3) mauve
    4) petite fille modèle

22. caprices (l. 27)
    1) vieux
    2) patrices
    3) inconvénients
    4) jeux

23. des objets qui auraient pu vous blesser (l. 30)
    1) des friandises
    2) acheter des fleurs
    3) des quenouilles qui auraient pu vous piquer
    4) les zobs-jets qui eussent dû vous échoir

24. les (l. 33)
    1) deux
    2) trois
    3) quatre
    4) cinq

25. obscurs (l. 33)
    1) humides
    2) douillets
    3) intimes
    4) hercyniens

26. rayonne de tout l'éclat de la jeunesse (l. 35-36)
    1) est plus près du bonnet
    2) vous ne savez pas où la donner
    3) de la jeunesse de tout l'éclat rayonne
    4) baisse les yeux quand on lui parle

27. de vos dix-sept printemps (l. 36-37)
    1) de vos multiples prétendants
    2) deux vaut dix-sept printemps
    3) de votre nouveau chapeau
    4) de vos dix-sept canines

28. mutineries (l. 38)
    1) moustiquaires
    2) minuteries
    3) plaisanteries
    4) signes

29. votre imprudent vouloir (l. 40)
    1) vos esprits animaux
    2) sa fougueuse monture
    3) votre témérité folle
    4) vos appétits féroces

30. **Dieu** (l. 41)
    1) bon petit diable
    2) vieux
    3) Lui
    4) son père

31. **la plume, la plume** (l. 43)
    1) tralala
    2) le truc, le machin
    3) le bègue
    4) la verrue, la verrue

32. **courir après les papillons** (l. 45)
    1) compter les moutons
    2) caresser les chats
    3) chasser les mouches
    4) courir le guilledou

33. **charmille** (l. 47)
    1) vertu
    2) verrière
    3) vieillesse
    4) nuit

34. **ébats** (l. 47)
    1) anniversaires
    2) cousins
    3) exemples
    4) drilles

35. **coeur** (l. 56)
    1) cul
    2) nez
    3) Jean
    4) sein

36. **presse** (l. 57)
    1) malaxe
    2) martèle
    3) pilonne
    4) écrase

37. **en commandant** (l. 65)
    1) en supprimant les virgules
    2) que je sois pendu si
    3) en colonelle
    4) car elle est obéissante

38. **son rude labeur** (l. 71)
    1) son dru laboureur
    2) son truc à vapeur
    3) ses frais de chauffage
    4) ses volumes

39. **au seuil de la vie qui vous attend dans le monde** (l. 73)
    1) ailleurs
    2) de dire des conneries
    3) au prochain arrêt
    4) parce que j'ai mon gigot qui brûle

40. il (l. 79)
    1) le piston
    2) l'automate
    3) le héros
    4) le cousin de mesdemoiselles

GRILLE DE REPONSE

n° question	Réponse				n° question	Réponse				n° question	Réponse			
	1	2	3	4		1	2	3	4		1	2	3	4
1					14					27				
2					15					28				
3					16					29				
4					17					30				
5					18					31				
6					19					32				
7					20					33				
8					21					34				
9					22					35				
10					23					36				
11					24					37				
12					25					38				
13					26					39				
										40				

(II) RECONSTITUEZ LE TEXTE ORIGINAL (une seule solution)

dont nous donnons ici tous les mots classés par catégories et par ordre alphabétique. Pour faciliter la tâche, nous indiquons également la ponctuation.

Verbes

ai ai approchais assis assistais avaient avait boutonnait buvaient choisir commencé craquer découvrais dépendait donner ébattais échappait entouré épousseter était faire faire faisant faite fendaient feuilleter finirai garantissait hésiter honorer lever lire maniait mourir naître observer ouvrir prendre regagnant ressemblaient révérais savais savais sentaient sentais touchais traverser verraient vu vu

Noms

air allées an avenir bibliothèques boîtes briques bureau cachette cérémonies champignon coup défense dextérité doute encre enjambées famille fauteuil feuilles fois fois gants grand-père grand-père habitude huîtres index jour livres mains menhirs mère milieu monuments mouvement nudité objets octobre officiant organes page passé peine permanence pièce pierres pouce poussière prospérité rayons rentrée sanctuaire sens soulier table temps tour veinules vie volumes

Pronoms

chaque dont dont elles en en en en il j' j' je je je je je je je je je je l' l' la le le les les les lui m' m' m' m' me me qui qui qui qui se se se se toutes y

Adjectifs

absent antiques blêmes bonne boursouflées calme ces ces ces combiné couvertes culturels deux droites espacées intérieurs levées leur leurs ma ma maladroit mes mille

198

minuscule moisies mon mon noires notre penchées sa sec
serrées ses son trapus

Invariants

à à à aussi avant avec comme comme comme comme d'
d' d' d' d' dans dans de de de de de de de de de de
de de déjà en en en en en encore et et et et et et
légèrement mais ne ne noblement ou ou partout par pas
pour pour puis qu' que que que que quelquefois sans sans
sans sauf si sur trop

Articles

au des des des des du l' l' l' la la la la la
la la le le le le le le le les un un un un un un un
une une

Ponctuation

. . . . . .
, ,
, ,
: :
- -
" "

Corrigés partiels des exercices
Explications diverses

<u>CORRIGES PARTIELS DES EXERCICES</u>
<u>EXPLICATIONS DIVERSES</u>

<u>LE VERBE</u>

°<u>0</u>° "<u>QCM</u>", p. 13-14-15

1 = 1	6 = 4	11 = 3	16 = 3
2 = 4	7 = 4	12 = 4	17 = 1
3 = 1	8 = 2	13 = 3	18 = 2
4 = 3	9 = 3	14 = 4	
5 = 4	10 = 4	15 = 2	

°<u>0</u>° "<u>QCM</u>", p. 27-28

1 = 2	7 = 3
2 = 4	8 = 2 (avec des saucisses fumées)
3 = 1	9 = 3 (idem)
4 = 1	10 = 3
5 = 1,2,3,4	11 = 4
6 = 4	12 = 3

°<u>0</u>° "<u>QCM</u>", p. 31

1 = 2	4 = 3
2 = 3	5 = 3
3 = 1	

<u>Travaux pratiques industrieux</u> (Les Auxiliaires), p. 44

Ce texte de Queneau se passe d'auxiliaires.

LE NOM

°0° "QCM", p. 74-75

1 = 4	6 = 4
2 = 3	7 = 2
3 = 2	8 = 2
4 = 2	9 = 1
5 = 2	10 = 4

Exercices difficiles, p. 80

3) 3.1. "petite Madeleine" = 11 traits
"Madeleine" = 11 + 14 = 25 traits
3.2. "rouge-gorge" = 6 + 3 = 9 traits
etc.

4) épouse - femme - jour - nuit -
chambre - insomnies - sujet - chapitre -
bêtise - nature - soin - instruction

Exercice facile, p. 81

Cherchez l'erreur.

Les fonctions du noms - Exercices, p. 98-99-100

I, II, III, IV et V : Comme il vous plaîra.

VI. tableau - sujet
symbole - non attribut (cf. Pierce)
mèche - attribut capillaire
information - complément
accuser la nature - bien sujet (*Le Chêne et le Roseau*
de La Fontaine)
homérique - épithête
accord - verbe
complément - objet
libre participation - a-t(t)ribut
logement - fonction

VII. Taisez-vous, j'ai aimé complètement le corps, et mieux :
la parole qui me venait comme des violons, j'ai vécu en
espérant un geste de chevreuil, un signal de glycine,
vous ne pourriez pas comprendre, il s'agit d'une situation de printemps.
(Henri Pichette : **Les Epiphanies.**
Gallimard. Coll. "Poésie". Paris
1969, p. 109.)

LES PRONOMS

Exerc'i-ces pronominaux, p. 118-119

Pour trouver les solutions, il vous suffit de vous référer aux ouvrages cités. Mais, pour vous éviter une recherche fastidieuse, nous préférons donner les solutions directement. Le pronom souligné sera celui du texte original.

1. ce poste qu'l occupait. (Goodis)
2. de vouloir de mettre en boîte. (Thompson)
3. tu aurais dû quand même de dire que. (Thompson)
4. Muette, la foule des regarda passer. (Whittington)
5. qu'est-ce qu'il te prend. (Irish)
6. Les as-t-u vus? (Irish)
7. de ce que 'ai chez moi. (Woolrich)
8. ce qui sest passé. (Whittington)
9. Il n'y a acune raison. (Goodis)
10. Se qui signifiait que. (Lorenzo)
11. Les feux rouges m'on arrêté à Manchester. (C. Himes)
12. C'que c'est? (Chandler)
13. Il pensait à Margaret. (Woolrich)
14. Une de des femmes. (Fearing)

N.B. : Une étude plus poussée de textes du même genre conduirait à discriminer une nouvelle catégorie de pronoms : celle des "pronoms noirs". En tous états de cause, Jim Thompson et Harry Whittington se reconnaissent à ce qu'ils emploient les pronoms "de" et "des". On constate le même emploi chez Kenneth Fearing, quoique d'une manière moins fréquente.

L'ADJECTIF

Exercice 7, p. 127

Voir N.B. ci-dessus. (Remplacez "pronoms" par "adjectifs".)

1. C'était beau, beau, beau, beau, beau, beau. (McCoy)
2. Quand ils furent seusl. (Woolrich)
3. une chose bougrement plus censée. (Thompson)
4. un veux reste. (Fearing)

Exercice 4, p. 127

Nous vous le demandons.

Exercice 6, p. 127

J'expanse, donc je suis.

LES INVARIANTS

Exercices invariants, p. 141-142

    3. Vous vous reporterez avec profit au beau texte Perrette
    et le Pot au lait du bon Jean de La Fontaine.

    4. 4.1. aussi fraîche que ti tu sortais d'une boîte! (Irish)
       4.2. trandis que Rollo nous quittait. (McCoy)
       4.3. Dabord tu me dis qui t'a engagé. (Whittington)
       4.4. à la seconde même où tu seras dans dans le pétrin
           pour de vrai? (Fearing)

LES CATEGORIES

Exercices cinq à sept, p. 159-160

    5.A.   poularde   merdre
            femme est au terme tocsin
            Mérimée   dame-oiselle
            poulain   femme honnête
            mini-femme   cosi fan tutte

    5.B.   Le prince Ringuet, étendu sous la marquise, compulsait
           tour à tour le catalogue de la belle jardinière et
           le petit chose.
           Il passait gaiement d'une page à l'autre et, mutin,
           en sautait une de temps en temps.
           On entendait au loin les accents d'une Marseillaise,
           quand arriva la vieille croûte :
           - Tiens, bonjour monsieur Courbet!
           - Entrez donc, et posez-vous là sur la bergère.
           Allons, n'ayez pas peur, après tout, ce n'est pas
           le Pérou!

    6.   Question 4 :
           La fête passée, adieu le saint.

    7.   Le hareng saur.   Elvis Presley.
           Les normes DIN.   Le buffet.
           L'ennui.   Le Nippon.
           Le cher parent.   J'eus c't'huissier.
           Génisse (et la Savoie). L'asperge.

    7.A.   Fonts baptismaux.
           Dégénérés. Des maraîchers. (Boris Vian)

REVISION GENERALE COERCITIVE

°0° Compréhension d'un texte écrit, p. 190-196

1 = 3	11 = 4	21 = 3	31 = 2
2 = 1	12 = 2	22 = 1	32 = 2
3 = 3	13 = 1	23 = 4	33 = 1
4 = 2	14 = 3	24 = 2	34 = 2
5 = 4	15 = 3	25 = 4	35 = 4
6 = 4	16 = 1	26 = 1	36 = 3
7 = 3	17 = 4	27 = 3	37 = 1
8 = 4	18 = 4	28 = 1	38 = 3
9 = 1	19 = 2	29 = 1	39 = 4
10 = 2	20 = 3	30 = 4	40 = 1

Reconstituez le texte original, p. 197-198

Vous avez reconstitué un extrait des *Mots* de Jean-Paul
Sartre : "J'ai commencé ma vie comme je la finirai sans doute
.... qui buvaient l'encre et sentaient le champignon."
(Edit. Gallimard, Paris 1964 : p. 29-30.)

Index
des substantifs propres personnifiés

suivi de:

index
les nouveaux substantifs propres personnifiés
cités dans l'index
des substantifs propres personnifiés

BIEN-AIMEE, 61

BIRON, 184, 185

BLANCHE, Francis, 148

BLOCH, Ernst, 101

BLOOM, 22
ne fermez pas la porte, il
s'en chargera

BONGU, 28
(bis repetita placent)

BOSSUET, Jacques Bénigne, 74
nommé évêque de Mots en 1681

BOUILLE, Abbesse, 120
voir ASSEDSOUP

BOUJU, Norbert, 128

BOURBON, 157, 180

BOUTROUX, Emile, 167
académicien notoire :
*De la contingence des lois de
la nature ; De l'idée de loi
naturelle ; Science et religion dans la philosophie
contemporaine.*

BRASSAI, 68

BRECHT, Bertolt, 186

BRIEUX, Eugène, 167
académicien notoire : *Les
avariés*, 1901.

BRISSET, Jean-Pierre, 186

BROTABLOT, Léon, 84

BRUJA, La, 118

BRUNSWICK-LUNEBOURG, Ernest-
Auguste de, 75

BRUTE, 105
tancé sous cette forme par
son père César

BRY(NNER?), Yul (?), 168

BUCHET-CHASTEL, 8

BUDÉ, Guillaume, 104
éditeur

BUFFONS, 160
pluriel singulier

BUNUEL, Luis, 65
andalouchien (cf. p. 126)

BURGESS, Anthony, 101

BURMA, Nestor, 86
détective de choc

- C -

CABANIS, José, 64

ÇA-CI, Monsieur de, 128

CAESAR, 10
  Pouce!
  (Ceux de César sont en divers
  matériaux, dont le polyester
  et le bronze.)

CAIROTE, 11
  au poil

CALLAS, La, 39

CAMILLO, 64, Don (du ciel)

CARRET, 62

CATILINA, 40
  souvent en tandem

CAZENEUVE, J., 133

CELUI QUI SAIT, 69
  homo sapiens

CENDRILLON, 61

CESARS, 74

CESBRON, Gilbert, 65

CHAMPOLLION, 10
  persiste et signe

CHANDLER, Raymond Thornton,
  65, 119, 202
  auteur de *Adieu, ma jolie*,
  Série Noire n° 12.

CHAPERON, Rouge, Petit, Le, 162
  De Saint-Loup (voir à ce nom)
  aimait beaucoup sa grammaire

CHARIF, 11

CHARLEMAGNE, 157

CHARLES-DEUX, 157

CHARLES-GUSTAVE, 103, 111, 115,
  116, 117
  (jeune) psychanaliste (cf.
  Virgil Scott : *Jusqu'à la gauche*.
  Gallimard. "Série Noire" n° 32,
  Paris 1949, p. 13).

CHARLES-QUATRE, 157

CHARLES-QUINT, 36, 157
  Ne voyait jamais le coucher
  du soleil

CHARLES VII, 37

CHASE, Allan, 66

CHASE, James Hadley, 66
  *Tu seras tout seul dans ton
  serre-couilles.*
  N'a pas découvert l'Amérique.

- D -

D., Charlotte, 23, 128, 164

Née en 1804 à L. s/V. (Pyrénées-Orientales). Dès 1812, elle se signale par sa grande indépendance qui stupéfie son entourage. On lui doit alors une série de nouvelles risquées comme : *Aphrodite et les deux risques*, *La cuisse de Jupin* et *Roswita ou L'Adultère impuni* ou *Il Dissoluto impunito* (trad. italienne anonyme). A dix ans, elle quitte la maison du sacristain où elle s'était réfugiée, laissant négligemment dépasser d'un tiroir de la commode de sa chambre un manuscrit intitulé *Zizounette et ses poupées*. Visite alors la Terre-Adélie et le cloître Saint-Trophime en Arles. Riche de ces expériences, elle publie coup sur coup : *La Scandinavie revisitée* (1828), *La technique du compost et des engrais naturels* (1828), *Le roman de Charlotte* (1830), *Ma vie sous un Esquimau ivre dans un igloo collectif* (s.d.) et *Les 33 positions de l'adjectif*, 1832 (in-8 rel., 33 pp., rel. dem. chagr. tête de nègre, faux nerfs dorés, couv. ill., dos couv. défr., E.O. collective, 1/100 ex. num. sur pur fil avec un envoi, mention fictive de 2° édit. Rare. Ex. rogné un peu court). Elle épouse un notaire de province, Louis-Alphonse Meunier, dans la fleur de l'âge. Avec les émoluments du notaire, elle ouvre un salon très fermé où se réunissent les personnalités les plus éminentes du monde entier de passage à Lougnac-sur-Vareilles et les filles les plus belles de l'époque (Mlle Rose, Mlle Valentine, Mlle Adélaïde).
Elle meurt, un jour, en 1838, dans les bras d'un homme connu dont l'histoire littéraire cache le nom (il s'agit de Fabrice de Saint-Jérôme, abbé), en odeur de sainteté sur recommandation de l'évêque, ce qui suffoque son entourage.
Autres oeuvres : *Journal* 1812-1814 ; *Journal* 1814-1819 ; *Fabrice ou L'Amour interdit* ; *Meunier ou Les chaînes conjugales* ; *Les belles filles de Lougnac-sur-Vareilles*.

D., Mme, 131

de Vignecourt

DAME DU QUAI DE CONTI, Vieille, 63, 150

a favorisé l'éclosion de maints jeunes talents

D'ARC, Jeanne ou Jehanne, 37, 171, 172, 173

Enceinte à quatre voix. Biographie, cf. p. 37.

DANIELOU, 41

DAUDET, Alphonse, 164

DEBUSSY, Claude, 186

DEI, 37

DELUVRE, Commissaire, 84, 88

DESTOUCHES, Louis-Ferdinand, 167

London's Bridge

DEVILLE, Agent, 84

DIABELLI, Anton, 38

n'est pas un invariant

- <u>G</u> -

GRIEUX, Des, 94

allegro, Manon (ma si!)
troppo

GRIMM, 120

Hansel et les sept nains
Tom Pouce et la jeune fille
sans mains
La vraie fiancée et le
chasseur accompli
Blanche-Neige et Jean le
Veinard
Gretel et les douze apôtres
Le petit chaperon rouge, le
diable et sa grand-mère

GROSSTÜSCH, Hippolyte, 77, 101, 160

Né de parents universitaires le
12 mars 1863 à Trollhattan. Mort
à Trollhattan le 2 juillet 1926.
Après de brillantes études facilitées
par d'énormes bourses, il entre à
l'université de Trollhattan et
fréquente assidûment, pour ne plus
les quitter, le cours et la fille
du professeur Onestone, dont il
aura un garçon (Trollhattan 1885 -
Poona 1951). Très proche dans sa
démarche des universitaires de
l'école slovène, il s'en écarte
néanmoins à la suite de divergences
dont on peut suivre l'évolution
dans sa correspondance (non publiée :
*Unpublished Scientific Papers Of
Hippolyte Grosstüsch*. Trollhattan,
non publié en 1930). Somme de toute
une vie, son volumineux et unique
ouvrage, déposé à la bibliothèque
de Trollhattan par un transporteur
robuste, fut soutenu lors d'une
séance mémorable à l'université
de Trollhattan le 14 décembre 1913
et publié aux presses universitaires de Trollhattan l'année
suivante. Il est aujourd'hui présent à l'esprit de chacun ; il
s'agit de *Les sous-catégories
dans la classification des noms
français de 1472 à l'époque
actuelle* (746 p.).

GUARESCHI, Jean, 64

GUENAUD, 119

GUIGNOL, 167

GYPTE, 11

- H -

H., 33

H. et P., MM., 33

Peut-être s'agit-il de MM. Hercule
et Poirot. L'énigme reste entière.

HAMLET, 65

HAMMETT, Samuel Dashiell

aurait pu être cité

HANDKE, Peter, 23

*L'angoisse du gardien de bit
à l'instant du pénaltu*

HARPAGON, 94

A vos caffettes!

HEIDEGGER, Martin, 43, 64, 69

HEIDI, 21

charmante fillette confédérée,
helvétique et suisse

PILJEAN, André, 65

PLASIER, Cardinal, 57

PLATON, 84, 86

Philosophe grec qui philo-
sophait le plus souvent sous
la forme de dialogues. Un des
plus célèbres est sans con-
teste : "Fais donc! - Mais
non!" Ses roustons sont exposés
au musée d'Athènes, dans du
coton hydrophi-i-i-le.

PLICK, 164

nain

PLINE, Ancien, L', 152

PLINE, Jeune, Le, 152

PLOCK, 164

nain

POETES, 35

PONT, Clément, 101

POPULI, 37

POQUELIN, Jean-Baptiste, 64, 186

L'amour mes deux seins

PORTNOY, 33

n'est pas simple

PRESIDENT, 165, 177, 178, 179, 180

PRESLEY, Elvis, 203

PRETTY, John D., 128

PROUST, Marcel, 27, 35, 164
voir MADELEINE, QUESTIONNAIRE

- Q -

QUARTILLA, 80

QUENEAU, Raymond Auguste, 44, 47,
64, 65, 200

Né au Havre le 21 février 1903.
Sa mère était mercière ; son
père était mercier : ils trépi-
gnaient de joie. Adresse dès son
plus jeune âge de fréquentes
cartes postales à ses parents.
Fréquente le lycée du Havre de
1908 à 1920. Première communion
le 14 mai 1914. Diplôme de recon-
naissance du "Devoir social pour
la reconstitution des foyers
détruits par la guerre" délivré
le 27 mai 1918. Passeport délivré
le 25 juillet 1922 ; nouveau
passeport en 1934. Se réabonne à
"Littérature" également en 1922.
Ordre d'appel sous les drapeaux
le 16 novembre 1925. Adresse de
nouveau à ses parents de fréquentes cartes postales. Obtient son
certificat de bonne conduite à
l'armée le 5 février 1927 ; il a
alors presque 24 ans. Mariage
avec Janine Kahn le 1er août 1928.
Recherche d'un emploi entre 1925
et 1931 : Imprimerie moderne de
Versailles ; Union générale agri-
cole ; La bougie automatique ;
Les ateliers d'impression commer-
ciale de banlieue ; Le Bureau Clair ;
Direction des enseignements de
Varsovie ; Service des Oeuvres

- T -

INDEX DES NOUVEAUX SUBSTANTIFS PROPRES
PERSONNIFIES CITES DANS L'INDEX DES SUBSTANTIFS
PROPRES PERSONNIFIES

Les pages 231 à 234 sont réservées aux lecteurs de la
Grammaire turbulente du français contemporain. Ils peuvent
y apporter leurs propres compléments.

Table d'orientation
(offerte gratuitement)